Claude Zen

La noyade des poissons

Roman

ISBN : 979-10-377-9892-3

1

En plein mois d'août, ils déambulaient dans les rues du Mont Saint Michel, au milieu de la cohue. Il faisait chaud et la fatigue se faisait sentir. Quand les enfants commencèrent à traîner les pieds et à geindre « quand est-ce qu'on arrive ? », Martine s'arrêta de prendre des photos. Il fallait que son mari trouve illico un endroit pour s'asseoir et se restaurer.

— Tu vois bien que les enfants ont faim et qu'ils sont fatigués.

Sébastien comprit qu'il n'allait pas échapper à la crise. Il ne laissa rien paraître de l'amertume qui le gagnait. Il conserva son air nonchalant comme si rien ne l'atteignait, rien ne le touchait. C'était sa manière à lui de se protéger. Il pointa le doigt vers le restaurant qui se trouvait un peu plus bas.

— Quelle chance, le restaurant de la mère Poulard, j'ai toujours rêvé de son omelette réputée dans le monde entier.

— Tu parles, pour manger une omelette, ce n'est pas la peine d'en faire tout un plat.

Il apparut inutile de discuter plus longtemps des mérites de l'omelette de la mère Poulard, le restaurant affichait complet.

À l'annonce de cette nouvelle, Martine entra en transe. Le calme de son mari l'exaspérait.

— Je croyais que tu t'en étais occupé, tu n'as rien d'autre à faire.

Cette grande brune, d'une beauté un peu sauvage, ressemblait en cet instant à une véritable furie avec ses cheveux qui tournoyaient autour de son visage.

Sébastien leva les yeux au ciel. Mon Dieu, faites que par Saint-Michel archange, cette journée, si bien commencée, ne se termine pas en catastrophe.

Ce matin dans le monospace, les enfants riaient. Au détour de la route, il s'était senti heureux en découvrant la silhouette de l'abbaye dressée sur son îlot rocheux. Cette escapade promettait de rompre avec bonheur la monotonie de leurs vacances à Perros-Guirec.

Maintenant, Benjamin couinait, Romane faisait la lippe.

— Ne reste pas comme ça les bras ballants. Fais quelque chose où je m'en vais, tu te débrouilleras avec les gosses.

— Quand est-ce qu'on mange ? répétait Benjamin.

Sébastien donna de la voix pour tenter de reprendre les choses en main :

— Vous avez faim, je sais, moi aussi. Vous attendrez. On finira par trouver de quoi manger, on n'est pas dans le désert, dit-il en montrant la foule qui se pressait autour d'eux.

Pour le narguer, le fumet de la célèbre omelette vint à passer sous ses narines. Sébastien se précipita pour parler au serveur, sous le regard réprobateur des clients qui faisaient la queue. Il avait de jeunes enfants, pourrait-il avoir quatre places ?

Furieux d'être arrêté dans son élan, le serveur le jaugea d'un air méprisant :

— Vous n'y pensez pas, au mois d'août, il faut réserver au moins une semaine à l'avance. Permettez, l'omelette, elle, ne peut pas attendre.

La situation continuait d'empirer du côté de la petite famille : la petite pleurnichait, le gamin trépignait, Martine prenait l'entourage à témoin :

— Pour une fois que je pouvais me détendre, c'est raté.

La patronne, inquiète de toute cette agitation, les regardait d'un air soucieux que Sébastien prit pour de la compassion.

— Madame, vous voyez notre situation, où pourrions-nous déjeuner ?

— Mon pauvre monsieur, vous ne trouverez pas de place dans les autres restaurants du Mont. Vous savez, il faut du temps pour préparer cette omelette. Avant d'être cuits, dans un poêle de cuivre, sur un feu de bois, les œufs sont mélangés avec de la crème fraîche, ils sont ensuite battus avec un long fouet sur un rythme spécial… Martine hors d'elle cria :

— On s'en fout de votre préparation. On voudrait pouvoir manger, c'est tout.

Sébastien ne savait plus où se mettre. Ne sachant que faire, il se mit à tourner en rond dans l'attente d'un miracle.

C'est alors qu'un vieux monsieur, en chemisette rayée et coiffé d'une casquette blanche, s'approcha de Sébastien et de Martine, les prit tous les deux par le bras.

— Venez à notre table, je vous en prie, avec vos enfants. Nous n'avons pas très faim, ma femme et moi. Ces omelettes sont énormes. Nous vous invitons à partager notre repas.

Le visage de cet homme respirait la bonté. Éperdu de reconnaissance, Sébastien sut que Saint-Michel avait entendu sa prière.

Le regard de cet homme éclaira d'un peu de soleil la fin de ses vacances.

À leur retour le soir, dans leur appartement de Champigny, ce pâle soleil ne tarda pas à s'éclipser. Pendant le repas, la télé resta allumée. Une femme baignait dans une mare de sang. Son mari, en jean et baskets, se débattait pour prouver son innocence. Martine ne voulait rien perdre de l'action. Après le repas, Sébastien éprouva le besoin de respirer sur son balcon. Son regard se posa sur les fenêtres éclairées de l'immeuble voisin.

Un couple dînait les yeux rivés sur la télé. Ils devaient regarder le même thriller que Martine. Il est vrai que cette série bénéficiait de trois étoiles dans « télé pour tous ». La fille de la maison tirait une tête d'enterrement. Son visage s'éclaira quand on l'appela sur son portable. Elle se mit à parler en riant. Les parents gênés pour suivre leur film ne disaient rien. Au bout d'un moment, le père a dû faire une grimace. La fille bondit alors sans lâcher son téléphone et quitta la pièce en claquant la porte.

Cette nuit-là, veille de son retour au bureau, Sébastien dormit mal. Du fond de ses cauchemars, des poissons remontaient à la surface en distillant leurs poisons.

2

Dans son bureau, de la Défense, Hubert Hamlet avait tourné son fauteuil pour regarder ses poissons, un bleu et deux rouges qui se croisaient, se chevauchaient sans jamais se heurter. Il se complimentait d'avoir fait installer ce grand aquarium, source d'inspiration inépuisable pour savoir nager dans la vie, glisser entre les doigts de ses ennemis, se faufiler entre ses concurrents, contourner les obstacles et les ego.

La contemplation de ce ballet lui apportait souvent l'idée originale qui lui manquait pour satisfaire ses clients, soucieux de renouveler leurs stratégies managériales pour optimiser ou redresser les résultats de leurs entreprises. Ses intuitions avaient fait sa réputation. Il avait réussi à décrocher ce poste de Directeur Général de CMSE (Conseil en Management et Stratégie d'Entreprise) une boîte qui ne cessait d'accroître sa part de marché depuis qu'il était aux commandes, le Président dont il avait réussi à se faire un ami, lui laissant une complète autonomie. Il se félicitait de l'orientation de sa carrière dans le Conseil des leaders du monde économique où le management régnait, jusqu'à l'idolâtrie. On s'adressait à lui comme à un sorcier ayant le pouvoir de redonner santé et prospérité à une entreprise. Il tirait une intense satisfaction de cette reconnaissance. Lors des entretiens, le spectacle des poissons avait la faculté de détendre l'atmosphère jusqu'à l'engourdissement des facultés de ses interlocuteurs devenus plus perméables à son argumentation.

Bien entendu, il fallait ensuite élaborer les programmes, rédiger les protocoles à proposer aux clients. Pour ce travail fastidieux mais incontournable, il y avait Sébastien Masson. Malgré l'avis défavorable de la DRH, il avait recruté ce collaborateur un peu falot qui ne paraissait pas susceptible de lui faire de l'ombre. Lui seul pouvait deviner que sous la carapace peu flatteuse du candidat se cachait un individu capable d'analyser les *process* sous tous les angles, jusqu'à les mettre en adéquation avec les préconisations. Savoir choisir ses collaborateurs, qualité première d'un bon manager, *the right man, in the right place.*

Il attendait en retour de ce subordonné une certaine déférence et l'attitude de Sébastien à son retour de vacances le contrariait. C'est tout juste s'il ne faisait pas la gueule. Hubert subodorait que sa mauvaise humeur résidait dans ses relations avec sa femme, ce qui n'était pas pour lui déplaire. Pas étonnant cette mésentente dans un couple aussi désaccordé. Une femme charnelle cette Martine, avec une envie de mordre dans la vie à pleine bouche qu'elle avait si attirante. Ils n'étaient pas faits pour être ensemble ces deux-là, mais peu importe les raisons, ce type qui lui devait tout était tenu à manifester un minimum d'amabilité et de dévouement à son égard. Ses allures d'aristocrate au-dessus de la mêlée commençaient à l'irriter. Sébastien avait tendance à se croire indispensable en oubliant qu'il devait demeurer à mon service et sous mon autorité.

« Monsieur Hamlet vous attend dans son bureau ». Cet appel de la secrétaire surprit Sébastien, ils s'étaient vus ce matin. Quand il entra, il trouva son patron en pleine conceptualisation selon sa méthode. HH, comme on l'appelait dans la maison, taquinait ses poissons. Son doigt dessinait des arabesques le long de la paroi de verre.

Dire qu'il prétend travailler, s'agaça Sébastien.

Regardez : ils croient que je leur apporte de la nourriture. Le bleu est plus rapide que les autres pour approcher de la surface. *The struggle of life.* C'est une véritable leçon de vie que nous donnent ces poissons. Ils nous rappellent que la vie est un combat. Vous connaissez Darwin ? Oui, bien sûr, j'oubliais que vous aviez fait des études littéraires… mais le réel n'est pas de la littérature. Darwin nous a appris que la vie a évolué selon une sélection naturelle qui fait disparaître les espèces et les individus qui ne sont pas viables. Ceux qui survivent sont ceux qui s'adaptent. Même chose aujourd'hui dans le domaine économique, la sélection sociale élimine les inadaptés à la compétition imposée par les lois du marché. Après l'avoir invité à réfléchir sur cette leçon de vie donnée par les poissons en passant par Darwin, HH interrogea Sébastien : avait-il passé de bonnes vacances ? Pas trop bien si j'en juge par votre petite-mine, l'air marin ne paraît pas vous avoir réussi. Peut-être des disputes avec votre épouse ? Ce sont des choses qui arrivent… Remettez-vous, j'ai pondu pendant votre absence, vous avez du travail qui vous attend et, quand vous aurez un moment, vous voudrez bien changer l'eau des poissons. Ils ont été délaissés pendant les vacances, ils ont du mal à respirer. HH remarquant quelque réticence chez Sébastien ajouta qu'il ne pouvait pas confier cette tâche à n'importe qui. Sa secrétaire, cette idiote, avait nettoyé l'aquarium au détergent. Total : un poisson de crevé. À toute chose malheur est bon, il en avait profité pour faire une expérience : il s'était offert un poisson combattant, un *Bette splendens*, originaire du fleuve Mékong. Vous l'aviez remarqué n'est-ce pas ? Vous ne m'avez rien dit comme si ça ne vous intéressez pas.

— J'avais bien vu qu'il y avait quelque chose de changé.

Impossible de ne pas le voir avec sa couleur bleue et sa forme queue de voile. Le recrutement de ce nouvel élément dans l'aquarium l'avait amené à réfléchir à la composition de l'équipe, tout comme dans le management. Ce poisson de caractère vit difficilement en communauté, il ne fallait pas d'autres combattants. Pour l'instant, HH avait également évité les femelles pour éviter les complications mais viendra le jour où elles auront leur place dans l'aquarium. Le poisson combattant voudra se les approprier. Il va de soi que le mâle dominant est légitime à posséder toutes les femelles. Les autres poissons devront s'incliner devant son désir. C'est passionnant n'est-ce pas ?

— Oui… oui, mais je crains que ce poisson supérieur ne laisse pas assez d'oxygène aux autres pour leur permettre de respirer.

— Pour lui éviter l'ennui d'une cohabitation continuelle avec ses congénères, j'ai placé un petit miroir dans l'aquarium pour qu'il se voit évoluer. Je suis content d'avoir eu cette idée, cela lui convient à merveille… Je termine par quelques recommandations importantes sur la mission que je vous ai confiée : le poisson combattant se nourrit de vers rouges, vivants et, pour ne pas le stresser, il faut procéder à des changements d'eau partiels mais réguliers avec de la Volvic.

Sébastien acquiesça de la tête sans rien dire. HH le regarda en biais.

— À propos, j'espère que vous ne m'en voulez pas pour notre sauterie d'avant les vacances. C'était un *pince-fesses* sans prétention. J'étais détendu, j'avais picolé un peu, je me suis laissé aller à plaisanter avec votre femme, voilà tout. Je me méfie avec vous car vous avez tendance à vous montrer rigide. Vous risquez de ne pas savoir prendre les choses au second degré. Je vous le dis nettement, dans ce cas, vous me décevriez.

Le soir au cours du repas, Sébastien raconta à Martine l'épisode des poissons.

Il te prend pour son larbin. Je ne peux pas deviner d'où vient ce changement de comportement. Je sais que tu n'es pas très relationnel, pour tout dire un peu constipé. Même si ça n'est pas dans ta nature joue le rôle d'un cadre dynamique et souriant. Pense aussi à lui montrer de la considération, il adore ça. Ce n'est quand même pas sorcier, tu dois faire un effort. N'oublie pas que tu étais au chômage depuis deux ans quand il t'a recruté. Avec ta licence de lettres et ta petite expérience dans une agence de publicité qui avait déposé son bilan, tu ne faisais pas le poids sur le marché de l'emploi. Tu es maintenant Attaché de Direction, sans lui tu ne serais rien. Il m'aurait fallu reprendre le travail et prendre une nounou pour s'occuper des gosses. On peut dire que tu as eu de la chance.

Le repas terminé et les enfants couchés, Martine s'empressa de regarder la suite de sa série télévisée et Sébastien passa sur le balcon.

Au 3e étage, une femme, un peu rondelette dans sa petite jupette, s'activait dans sa cuisine. Elle jonglait avec poêles et casseroles, baladeur aux oreilles. Son pékinois ne la quittait pas des yeux. Il devait s'inquiéter pour son repas.

Sébastien abandonna ce spectacle, il était trop préoccupé. S'occuper du bien-être des poissons l'humiliait. La semaine prochaine, il serait tenu de faire des commentaires élogieux sur les réseaux sociaux à la réception de l'album en ligne consacré à l'aquarium. Je suis en train de devenir un parfait lèche-cul. Avant les vacances, Sébastien avait eu droit au même exercice pour la vidéo *La maison dans la forêt*. Il y avait eu ensuite cette invitation à venir pendre la crémaillère de cette *adorable* maison. Sébastien ne cessait d'en revoir les images.

3

HH les avait invités, dans sa demeure, en bordure de la forêt de Rambouillet. Surtout, venez en décontracté, c'est une réunion amicale.

Propriétaire depuis un an, il avait attendu pour pendre la crémaillère que les derniers travaux soient réalisés.

Le verre à la main, jean blanc et chemise ouverte sur une pilosité avantageuse, il naviguait de l'un à l'autre, tapant sur l'épaule des hommes, caressant les femmes de la main et du regard. Il ressemble à Piccoli, murmura l'une d'elles. Un serveur passait avec des coupes de champagne et des petits fours.

Un groupe suivait les explications du maître des lieux sur ses réalisations. Pas de murs mais des verrières pour être de plain-pied dans la nature. Des spots éclairaient les bosquets. Un plan d'eau, à côté d'une tonnelle, invitait au farniente. Le soir au retour de la boîte je m'assois sous la tonnelle, un verre à la main, je décompresse complètement, déclara Hubert rempli de satisfaction béate. Concert de louanges du chœur : Quelle chance. Se ressourcer ainsi est tellement important de nos jours. On se croirait dans la forêt. Merveilleux c'est un petit paradis. Inquiétudes : la nuit, comment faites-vous ? J'ai des volets roulants et un système d'alarme perfectionné. Soulagement.

Ils levaient maintenant les yeux au plafond. HH expliquait que les lambris étaient constitués de lattes de bois exotique dénichées sur un site d'importation péruvien. Il s'amusait de sa trouvaille d'avoir posé le plancher au plafond.

— Vous savez, Hubert a fait beaucoup de choses par lui-même.

Madame Hamlet venait de sortir de sa réserve pour complimenter son mari. Martine ne rata pas l'occasion de dénigrer le sien :

— Ce n'est pas comme le mien, il ne sait rien faire de ses dix doigts.

HH, le sourire amusé, posa une main protectrice sur l'épaule de son subordonné :

— Martine, Martine ! Sébastien a bien d'autres qualités. Vous ne vous en êtes pas aperçue ?

Petite moue dubitative de l'intéressée.

Quand on passa les plats, Madame Hamlet reçut à son tour sa ration de compliments. Elle les écoutait en fermant les yeux, sans que l'on sache si c'était pour mieux les savourer ou pour refuser de les entendre par modestie. Virginie Hamlet née de Lamanière était de bonne famille. Il se disait que l'alliance avec sa famille avait aidé à l'ascension sociale de son mari.

Hubert continuait en parlant des malfaçons rencontrées dans les portes-fenêtres. Occasion de donner un coup de chapeau à Maître Larrieu, l'avocat de CMSE, ici présent, qui avait introduit un référé. L'intéressé ne se fit pas prier pour se lancer dans une reconstitution humoristique de sa confrontation avec « Monsieur l'Expert » qu'il tourna en dérision à la grande joie des invités.

— Vous êtes vraiment en beauté ce soir.

Hubert s'était rapproché tout près de Martine en inclinant la tête, signe chez lui qu'il amorçait une tentative de charme.

— Vous n'êtes jamais venu chez CMSE. Il faudrait que je vous montre mes poissons, ils sont de toute beauté. Si vous êtes gentille, je vous montrerai aussi mon petit poisson rouge. Il est personnel celui-là mais pas mal du tout non plus.

Sébastien gêné jeta un coup d'œil du côté de Virginie Hamlet, espérant une réaction de sa part. Elle faisait mine de ne pas avoir entendu, absorbée par la conversation.

Martine avait rougi :

— Je ne voudrais pas vous déranger dans votre travail.

— Ma porte vous est toujours ouverte, ma chère Martine. Ne vous inquiétez pas pour Sébastien. C'est un gentleman, il vous accompagnera jusqu'à mon bureau et retournera ensuite à son travail car les poissons ne l'intéressent pas.

Ce soir, en face, un vieux dormait, sa bouche édentée grande ouverte devant son poste de télévision allumé. On aurait pu le croire mort. Son chat se promenait tout le long de son corps décharné. Malgré les apparences, c'était un bon vivant. Tous les dimanches à midi, il sirotait son pastis sur son balcon. C'était devenu l'attraction. Certains s'en amusaient mais beaucoup, derrière leurs fenêtres, trouvaient son attitude provocante. Sébastien inclinait à l'indulgence depuis sa rencontre avec le vieil homme au regard plein de bonté qui leur avait offert de partager son repas.

Une femme aux longs cheveux blonds, la tête et le buste rejetés en arrière, tirait sur son fume-cigarette ou plutôt une e-cigarette. Elle suivait ses ronds de fumée pendant qu'un homme la pelotait consciencieusement, sans qu'elle manifeste la moindre réaction.

Nous sommes tous des poissons dans leurs aquariums. Cette vision s'imposa à Sébastien. Lui-même était un poisson au milieu d'autres poissons qui nageaient, chez eux, dans la rue, au bureau. Ils s'évitaient, se contournaient, ne se rencontraient pas.

Au contraire de son patron qui nageait avec félicité en eau trouble, Sébastien ne supportait plus sa condition. Il avait cru dans cet homme qui lui avait mis le pied à l'étrier. Grâce à ses encouragements, il était devenu un professionnel dont l'expertise était reconnue en matière d'audit. Depuis l'arrivée des poissons, Sébastien se sentait humilié. Il devait changer leur eau et les nourrir. Il lui fallait maintenant supporter que HH propose à sa femme, en sa présence, de lui montrer son poisson rose, allusion à peine voilée à son sexe. À croire que ces poissons diffusaient leurs poisons dans le crâne de son patron.

Sébastien, coincé entre sa femme et son patron, commençait à perdre tous ses repères. Il était dans un train dont les freins ne répondaient plus. Il allait dérailler.

4

Tous leurs repas étaient préparés à base de produits bio. Ce soir, une nouvelle recette, un raïta de légumes au soja, servi dans une coupe en verre Murano. Tout ça m'a l'air très appétissant, apprécia Hubert en voyant tous ces petits légumes frais et colorés. Il mâchouilla longuement chaque bouchée pour en apprécier tout le suc. C'est délicieux, dit-il en hochant la tête d'un air pénétré. Virginie énuméra, sous l'œil admiratif de son mari, tous les ingrédients depuis le soja en passant par l'échalote, la gousse d'ail hachée, les carottes coupées en petits cubes et la pincée de cumin, ce petit rien qu'il ne fallait pas oublier pour donner au plat toute sa saveur. Ma chérie c'est une réussite. Elle ne cacha pas qu'elle avait dû se lever tôt pour préparer tout ça. Ils ont pris ensuite un de leur plat habituel : des cookies aux flacons d'avoine et ils ont terminé par un yaourt de brebis.

Après le repas, les époux Hamlet se sont installés dans leurs fauteuils ergonomiques, derrière les grandes baies vitrées. Quel spectacle féérique que toutes ses petites lumières qui clignotent dans le gazon, un vrai conte de fées se pâma Virginie. Bercée par la petite musique de nuit, elle se laissa aller à une douce somnolence. Hubert reprit la lecture de son traité Vaudou sur les *zombies*. Rien de plus exaltant que la possession de ces morts-vivants pour les mettre sous son contrôle à l'insu de tous. Son caractère occulte conférait au Maître un pouvoir unique. Débarrassée de tous les rites, la transposition de la culture vaudou dans notre monde occidental offrait des perspectives insoupçonnées.

— Mon chéri, je voudrais te parler.

Surpris, Hubert abandonna à regret sa lecture.

— Hubert, je m'inquiète à propos de Sébastien et Martine. Je crains que les propos que tu as tenus lors de notre soirée aient pu les choquer. Je viens d'y repenser quand tu m'as parlé de la froideur de Sébastien à son retour de vacances. À mon égard, tes avances indécentes auprès d'une invitée étaient peu délicates, mais j'en fais mon affaire. Martine et Sébastien risquent d'être moins compréhensifs.

— Mais non, ma chérie, tu te fais des idées. Martine doit être flattée, quant à Sébastien il fera comme toi, il s'en remettra.

Virginie soupira, avant de fermer les yeux. Hubert reprit l'étude de son traité sur le vaudou.

Ils goûtaient le calme retrouvé. Virginie s'était assoupie et Hubert commençait à bâiller. Le moment était venu de se préparer à aller dormir. À ce moment, la sonnerie du téléphone retentit dans le salon.

Virginie sursauta, qui pouvait appeler à cette heure tardive ? Le téléphone insistait. Hubert, exaspéré, posa son traité sur le vaudou et se leva. Tout un chacun savait pourtant qu'il ne fallait pas les déranger après dîner.

Quand il revint, il était pâle et le regard fixe. Virginie remarqua que son mari d'ordinaire si maître de lui ne pouvait réprimer un léger tremblement.

— C'était qui ?

— Sébastien.

— Que voulait-il ?

— Ce petit con tenait à m'annoncer qu'il venait de rendre la liberté à des poissons. Il ne supportait plus de les voir enfermés dans un aquarium.

— Il est tombé sur la tête, te déranger pour te dire ça.

— Attend la suite, il a ajouté que les poissons, c'était les miens, ceux du bureau qu'il a volé dans mon aquarium.

À cette nouvelle, Virginie, horrifiée, prit sa tête dans les mains.

— Mon Dieu ! Tes poissons ! C'est un crime. Après avoir repris sa respiration :

— Tu vois que j'avais raison de m'inquiéter… Tu vas le virer ? Hubert avait allumé une cigarette.

Cet accident de parcours, il ne l'avait pas prévu. Pourtant, la révolte d'un *zombie* est toujours possible. Si l'emprise est assez forte, l'être devrait revenir à son état de possédé. Il reviendra manger dans ma main avant de disparaître.

Après avoir tiré quelques bouffées, Hubert répondit en pesant ses mots. On voyait qu'il réfléchissait en même temps :

— Il faut garder son sang-froid. Pas question de licenciement, ce serait trop beau pour lui. Il subira le sort qu'il a réservé à mes poissons.

Incapable de tuer des animaux, même ces poissons à qui il attribuait un pouvoir malfaisant, Sébastien avait adopté la solution moins cruelle et plus écologique de leur faire retrouver leur élément naturel. Après les avoir pêchés dans l'aquarium avec une petite épuisette, il les avait mis dans des sachets plastiques remplis d'eau, comme ceux que l'on gagne au tir forain. Il s'était rendu non loin de chez lui sur les bords de la Marne. Là, il les avait jetés à l'eau sous l'œil goguenard d'un pêcheur.

— Des poissons rouges ! Ils ne pourront pas survivre, avec la pollution.

— Je leur donne une chance. Dans le lot, il y a un poisson combattant d'une espèce supérieure qui devrait s'en sortir. Sur ces mots, Sébastien avait jugé préférable de s'esquiver rapidement, pour éviter toute discussion inutile avec le pêcheur.

Le soir après dîner, il n'avait pas gagné son balcon. Debout au milieu du salon, il avait avoué son forfait à Martine, stupéfaite, en la prévenant qu'il se préparait à quitter le CMSE.

— Je crois que tu es devenu fou mon pauvre Sébastien. Surtout tu ne quittes pas ta boîte, comment je pourrais élever tes gosses ? Tu te retrouveras au chômage incapable de me verser une pension alimentaire.

— Je ne peux supporter l'idée que tu puisses t'envoyer en l'air avec mon patron.

— Mais non, tu es en plein délire. Tu n'as rien à craindre, son sexe est comme ça. Elle plia son index à plusieurs reprises.

— Que veux-tu dire ?

Martine recommença sa petite gymnastique du doigt.

— Ah, tu veux dire qu'il est impuissant, mais comment le sais-tu ? Martine se contenta de hausser les épaules.

5

Sébastien avait décidé de ne pas retourner chez CMSE. Pas question de rencontrer Hubert Hamlet. Les arêtes de ses poissons avaient dû lui rester en travers de la gorge.

Un licenciement pour faute lourde paraissait inévitable. Sébastien attendait donc stoïquement la lettre recommandée. Il aviserait ensuite sur les démarches à entreprendre pour retrouver un travail.

Martine ne l'entendait pas de cette oreille :

— Quoi ? Tu comptes rester tranquillement dans tes savates après ce que tu as fait ? Tu sais ce qui va t'arriver ? Tu vas être au chômage de longue durée…

— Pas du tout, avec mes références, je peux dénicher un job intéressant. Je consulte différents sites sur internet pour élaborer un CV convaincant.

Elle ricana :

— Tu rêves ! Dans la conjoncture ? Tes diplômes ne valent rien et tu ne sauras pas te vendre. Même si tu décroches un contact, Hubert ne manquera pas de te scier la branche en donnant des renseignements calamiteux sur ton compte. Dans le meilleur des cas, tu ne pourras trouver qu'un boulot minable.

Je te préviens, je ne le supporterai pas, la séparation sera inévitable. On vendra l'appartement pour rembourser le crédit et tu resteras seul. Je te vois bien finir SDF, comme beaucoup de paumés de ton genre à l'heure actuelle.

Sébastien haussa les épaules et comme d'habitude alla prendre l'air sur son balcon.

Peu de monde à voir dans la journée.

Au premier, le vieux, ne dormait plus. Il allait et venait dans la pièce à l'aide d'un déambulateur, comme un gros hanneton qui se cogne aux murs.

Au second, une grosse femme hurlait dans son portable, des enfants se chamaillaient autour d'elle et venaient s'agripper à son boubou. Elle ouvrit la fenêtre pour se donner un peu d'air et continuer ses palabres plus à l'aise sur le balcon.

Plus tard, la femme aux longs cheveux réapparut au quatrième. Elle vapotait encore pendant qu'un homme la pelotait. Pas de pelotage sans vapotage, elle devait tenir à ce rite de plaisir. Il lui sembla que le partenaire n'était pas le même.

Au cinquième, le couple dînait toujours devant la télé pour voir le énième épisode de la série mais leur fille n'était plus là.

Dans l'appartement voisin, la jeune femme parlait à son pékinois dressé sur ses pattes de derrière pour mieux l'écouter. Intrigué, Sébastien se demanda s'il n'avait pas déjà vu cette femme quelque part. Il alla chercher ses jumelles. Après les avoir réglés, il reconnut Anne Forcada, l'ancienne assistante de HH, maintenant reléguée au service entretien. Il ignorait qu'elle habitait le même immeuble. C'est elle qui avait nettoyé l'aquarium d'Hubert au détergent provoquant la mort de l'un de ses poissons. Sébastien se demanda si elle n'aurait pas également refusé de s'occuper du petit poisson rouge d'Hubert.

Il les regardait tourner en rond dans leurs petites vies. Et lui, il craignait de crever la bouche ouverte pour avoir tenté de mettre la bouche en dehors de l'eau.

Un jour, Martine prévint qu'elle rentrerait plus tard. Sébastien devait donc s'occuper des enfants. Cette tâche incombait d'ordinaire exclusivement à Martine. Elle estimait son mari incapable de se mêler de leur éducation.

À l'heure du dîner, Martine n'était pas rentrée. Sébastien prépara des pâtes à la tomate, c'était leur plat préféré. Pourtant Romane se refusa à manger tant que sa mère ne serait pas de retour et Benjamin geignait Où est maman ? Quand est-ce qu'elle revient maman ?

Amer Sébastien constata qu'il avait perdu le seul lien qu'il avait conservé jusqu'ici avec ses enfants, cette faculté de les amuser. La gaîté intérieure proche de l'enfance qui l'habitait l'avait quitté…

Dieu merci, Martine revint avec le sourire.

— Je crois que j'ai arrangé tes affaires. Tu peux te féliciter d'avoir épousé une femme comme moi qui ne garde pas ses deux pieds dans le même sabot.

De voir leur mère de bonne humeur, Romane et Benjamin finirent leurs pâtes à la tomate avec appétit. Martine se tourna vers Sébastien avec commisération :

— Même pas fichu de donner à manger à tes gosses. Les enfants couchés, elle s'assit sur le divan.

— Chéri, tu me sers un whisky, je l'ai bien mérité.

C'était bien la première fois, qu'elle l'appelait chéri et qu'elle buvait un whisky.

Elle croisa les jambes mises en valeur sous la petite robe rose bordée de dentelles. Longiligne avec de petits seins et de longues jambes, son type mannequin pouvait séduire comme aujourd'hui où elle avait abandonné son air revêche et laissé ses longs cheveux noirs tomber en mèches folles sur ses épaules.

— Figure-toi bien que j'ai rencontré ton patron.

— Hubert ?

— Bien sûr, Hubert, je savais qu'il accepterait de me recevoir. J'étais la seule à pouvoir renouer le dialogue. Je n'ai pas pu éviter de parler des poissons en risquant une analogie avec les petits oiseaux prisonniers de Pierre Perret qui invite les enfants à ouvrir leurs cages. Leur restitution à un milieu naturel était un coup de folie, mon mari avait pété les plombs. L'acte était certes condamnable mais peu dommageable dans la mesure où il avait pu pourvoir à leur remplacement par ces superbes poissons que j'apercevais derrière lui.

— Et, alors ?

— Alors, je crois qu'il a été sensible à ma plaidoirie. Il nous donne rendez-vous.

— Pour nous annoncer quoi ?

— Il n'a rien dit. J'étais tellement contente d'avoir décroché ce rendez-vous que je n'ai pas insisté pour en savoir plus… À partir du moment où il accepte de nous recevoir c'est qu'il doit être d'accord pour ta réintégration dans l'entreprise.

— Pas du tout, tu ne le connais pas. Cet homme est capable de tout. Il peut très bien nous recevoir, pour la seule satisfaction de m'ensevelir sous le poids de sentences méprisantes.

— Non, je ne crois pas, ça ne le grandirait pas. Elle ajouta avec un rien de coquetterie : il tient quand même à m'impressionner.

— Oui, oui, ça, je sais. Je l'imagine en train de te faire sa cour avec ses airs de chat de salon. Vous en avez mis du temps pour décider d'un rendez-vous, je me demande ce que vous avez pu vous raconter.

— Mon chéri, tu dois bien imaginer que pour une fois que j'étais à Paris, j'en ai profité pour faire du shopping.

6

Dans les couloirs de CMSE Sébastien croisa Guérin, son collaborateur dans l'audit depuis son arrivée dans la boîte. Ils avaient toujours eu d'excellentes relations. Pourtant, comme il s'approchait, pour lui serrer la main, il le vit disparaître dans un bureau.

Plus loin, son collègue Morvan pressa le pas, le sourcil froncé, le front penché sous le poids de ses préoccupations.

Même Stéphanie, la stagiaire, avec qui il blaguait à la machine à café, passa à sa hauteur sans le voir, les yeux dans le vague.

Désappointé par cet accueil, Sébastien prit le parti de s'en amuser en les voyant pratiquer l'art de l'esquive avec la maestria de véritables toréadors.

À l'étage de la Direction Générale, une hôtesse les fit patienter, Monsieur Hamlet était occupé.

Enfoncé dans un fauteuil de la réception, Sébastien sentit monter en lui le malaise de celui qui s'enfonce peu à peu dans des sables mouvants.

Pour se donner une contenance, Martine, assise bien droite sur le bord de son fauteuil, feuilletait un journal financier.

Après une attente pénible de plus d'une heure, l'hôtesse vint les chercher.

— Monsieur Hamlet va vous recevoir.

Quand ils entrèrent dans le bureau, Hubert s'empressa de prendre la main tendue par Martine pour y déposer un baiser et la conduire vers son siège. D'un geste bref, il fit signe à Sébastien de s'asseoir.

Petit coup de menton en avant :

— Alors ?

Ce fut Martine qui répondit :

— Comme je vous l'ai expliqué Hubert, nous souhaitons la continuation du contrat de travail de Sébastien. Son départ de l'entreprise constituerait un naufrage pour nous.

— Le forfait impardonnable commis par votre mari, qu'en faites-vous ?

— C'est un coup de folie passagère qui ne saurait vous faire oublier les qualités professionnelles de Sébastien.

— Vous savez, Martine, les cimetières sont remplis de gens irremplaçables. Je tenais beaucoup à mes poissons et vous avez pu voir que je suis tout de même parvenu à les remplacer. Même moi, je ne suis pas irremplaçable. Afin de leur laisser le temps de se pénétrer de la portée de ses paroles, il se retourna en les invitant à suivre en sa compagnie les évolutions de ses poissons.

HH consentit enfin à quitter des yeux son aquarium. Il se tourna vers eux pour reprendre le cours de la conversation.

— Ce spectacle fait du bien n'est-ce pas ? Surtout dans les situations un peu tendues. Cette petite gymnastique de l'intellect vient, une fois de plus, de m'apporter la solution.

Il nous refait le coup de l'improvisation géniale, pensa Sébastien.

— Je suis sensible à la détresse de Martine. Je crois qu'elle possède de grandes possibilités de réussite, qui pourraient lui permettre d'avoir une vie plus épanouie. J'accepte la poursuite de l'emploi, mais sur vos deux têtes, c'est le couple que j'embauche. Au total, vous toucherez la même chose, la moitié pour Martine, l'autre moitié pour Sébastien.

Celui-ci, étonné, questionna :

— Pour faire quoi ? Qu'elles seront nos attributions ?

HH se cala dans son fauteuil, pour le regarder de toute sa hauteur :

— Voyez-vous, mon petit Sébastien, la nature a horreur du vide et votre absence nous a rendu service en provoquant une réorientation de notre activité. En accord avec le Président, j'ai décidé d'ouvrir deux grands axes de travail à destination de nos clients : réduction de leur masse salariale pour maintenir leur ratio de solvabilité et promotion féminine. Concernant les coûts salariaux, j'ai réussi à débaucher Patrick Brian, chez Adventure le leader du conseil en management. Il n'a pas votre expérience dans l'audit mais une pratique de l'outplacement dans un contexte de structuration et de délocalisation. Son adaptabilité et sa connaissance de la psychologie entrepreneuriale lui permettront de répondre aux besoins des marchés concurrentiels. Nos clients veulent se séparer d'une main-d'œuvre européenne vieillissante, ce qui implique l'analyse des postes de travail, la mise au point de plans sociaux ou des négociations avec les salariés pour les pousser vers la sortie. Les DRH qui ne veulent pas se salir les mains sont friands de ce type de services. Vous travaillerez sous ses ordres, son dynamisme vous sera profitable. Sur le plan administratif, vous dépendrez de Richard Lepetit, notre nouveau DRH, qui vient de remplacer Mme Pellerin. Les années passées commençaient à la scléroser et ses principes d'un autre âge constituaient un frein pour notre politique de flexibilité.

Notre second axe de prospection concerne les entreprises désireuses de féminiser leurs postes de direction.

C'est vous, qui êtes concernée, ma chère Martine.

La femme est l'avenir de l'homme a dit le poète. C'est particulièrement vrai pour vous, Martine. Vous avez la chance de vivre une époque qui vous ouvre des portes. Les entreprises doivent féminiser leurs postes de direction. Vous me serez directement rattachée comme assistante de Direction, chargée des contacts auprès des PDG et des DRH pour leur proposer nos formations. Vous deviendrez l'ambassadrice de charme de notre maison. Un détail : quand nous serons en déplacements extérieurs, vous éviterez de m'appeler par mon prénom, M. Hamlet ou M. le Directeur Général conviendrait mieux, c'est une simple question de standing qui ne change rien à notre amitié et aux sentiments qui nous unissent.

— Je vous remercie de votre confiance, mais je crains de ne pas avoir les compétences nécessaires, répondit Martine d'une voix qui tremblait un peu sous le coup de l'émotion.

— Vous avez le potentiel c'est l'essentiel, pour le reste je vais m'en occuper. Il n'est rien qui me passionne autant que de modeler une collaboratrice telle que vous. Vous allez suivre des ateliers de coaching sur la féminisation du leadership. Je vais vous introduire également dans des réseaux féminins visant à l'empowerment, ce qui signifie la réappropriation du pouvoir consentit à traduire HH avec condescendance devant la mine ignare de ses interlocuteurs. Vous aurez ainsi le moyen de booster vos carnets d'adresses et d'échanger des expériences avec des femmes de haut niveau.

— Et mes enfants ? Comment faire pour concilier cette mission avec leur éducation ?

— Je ne les ai pas oubliés ces chers petits s'exclama HH en levant les bras au ciel. Au début, vous aurez des horaires de travail adaptés. Ultérieurement, vous bénéficierez de promotions, vous aurez donc les moyens de vous faire aider.

Tout cela n'était en définitive qu'une question de conditionnement pour Hubert. Martine bénéficierait d'une « déprogrammation » avec un coach l'amenant à se poser les vraies questions : sa place était-elle vraiment au foyer ? Fallait-il se borner à être derrière le cul des enfants et à tenir la maison ?

— Bien, je ne vais pas pouvoir vous consacrer plus de temps aujourd'hui. Je pense que vous appréciez mon offre à sa juste valeur. Elle est pour vous inespérée dans les circonstances actuelles. Je vous invite à vous mettre en rapport avec Richard Lepetit pour formaliser tout ça. Vous pourrez commencer dès la semaine prochaine. Sourire plaqué, bras ouverts, bises de Martine, « Merci, Hubert, vous m'avez sauvée ». Aucun regard à l'adresse de Sébastien.

Revenus dans leur appartement, Martine s'amusa de la mine sombre de Sébastien.

— Chéri, ne fais pas cette tête, ça chamboule tes habitudes, je sais, mais dis-toi que nous pourrons avoir le même revenu qu'avant, c'est le principal. Cela mérite un petit sacrifice de ta part, d'autant plus que c'est une chance de me réaliser. Tu ne peux pas toujours penser à ta petite personne. J'ai toujours senti que j'étais faite pour une autre vie. Changer de dimension, d'espèce, d'espace comme je l'ai lu dans « Elle » je crois que c'est une citation de Lacan. Elle lui caressa la tête. Allons chéri, tu ne vas pas faire le rabat-joie, le petit macho qui tient à ses prérogatives, jaloux de la carrière de sa femme.

Inutile de discuter plus longtemps, Sébastien retourna sur son balcon. Tout était mort. Seuls les écrans étaient en vie.

Changement également à l'intérieur de l'appartement. Martine avait délaissé ses séries télé. Ce soir, elle ne voyait le monde que par son ordinateur. Elle se plongea dans les sites professionnels pour tout connaître des problématiques de management, dans les réseaux sociaux pour tout savoir de la vie d'Hubert Hamlet, sa petite maison dans la forêt, la vie de ses poissons et le camp de nudistes qu'il fréquentait avec Virginie son épouse. Il s'y exposait avec elle, dans le plus simple appareil, la main dans la main, en prônant le retour à l'état naturel seul antidote au stress qui nous menaçait. Elle lui envoya un mail pour exprimer son enchantement de le retrouver, chez elle, dans ses activités si riches et si variées. Pressée de rattraper le temps perdu, elle dîna d'une pomme devant son ordinateur. Elle fut tout de même obligée de le quitter pour coucher les enfants qui la réclamaient à grands cris.

Son devoir accompli, elle y retourna sans délai. Insatiable, elle voulait tout connaître de la vie des amis d'Hubert, les larmes d'Esther que son ami venait de quitter, le rhume de Théo, les câlins de Jérôme avec sa copine, la cuite de Théodore. Elle demeura devant son écran une bonne partie de la nuit, jusqu'à tomber de sommeil.

Sébastien s'était fait cuire des œufs. Il dînait seul sur sa table de cuisine.

Derrière les grandes verrières de son salon, Hubert tirait sur sa cigarette avec délectation. Il écoutait sa petite musique de nuit en suivant des yeux le balancement des arbres dans le vent.

— Tu as l'air content, mon chéri, murmura Virginie, les yeux fermés, étendue dans son fauteuil « relax home », celui qui promettait de redonner tonicité et jeunesse à ses articulations fatiguées.

— Comme je l'avais prévu, Martine et Sébastien sont revenus en faisant profil bas. Je me réjouis d'avance de les voir s'agiter dans la nasse que je leur ai préparée. Le pauvre Sébastien verra l'oxygène se raréfier peu à peu autour de lui comme pour mes poissons.

Virginie regarda son grand homme avec inquiétude.

— Rassure-toi, ce sera fait dans la plus complète légalité.

7

Comme indiqué dans sa lettre de convocation, Sébastien se présenta chez Richard Lepetit le nouveau D.R.H. Il comprit assez vite qu'il allait regretter Mme Pellerin. Elle avait été au départ de CMSE. Ses cheveux en bataille, ses grosses lunettes d'écailles, son tailleur sombre étaient un sujet de plaisanteries. Elle ne s'attardait pas dans les cocktails où l'on se dandine d'un pied sur l'autre en échangeant des futilités. Cette apparence austère cachait une femme de dialogue, adepte du compromis pour régler les conflits. Elle ne craignait pas de s'opposer à HH, obligé de la ménager en raison de l'estime dont elle bénéficiait auprès du Président. Les années passant, Hubert avait fini par avoir raison de cette vieille peau, comme il l'appelait sous cape. Il l'avait poussée vers une préretraite *bien méritée, en raison de ses bons et loyaux services.*

— Bonjour, Monsieur Masson, d'attaque ? Le DRH dévisageait Sébastien guettant les marques de défaillances ou d'agressivité.

En l'absence de réactions de sa part, il ouvrit son dossier en triturant quelques papiers.

Bon… M. Hamlet a dû vous dire que vous allez travailler en binôme avec Patrick Brian. Il occupe le bureau que vous aviez.

— Ah bon, je ne vais pas retrouver mon bureau ? M. Hamlet ne m'avait pas prévenu.

— Que voulez-vous, nous avons été dans l'obligation de disposer de votre bureau pour Patrick. C'est un élément de haut niveau que nous avons eu du mal à recruter. Vous comprenez bien que l'on ne peut pas lui demander aujourd'hui de déménager. Ce n'est pas grave, on vous trouvera un nouveau bureau plus tard. En attendant, vous travaillerez en open-space, c'est une solution transitoire qui s'inscrit dans la reprogrammation prévue pour vous.

— Quelle reprogrammation ?

— Elle consiste dans un parcours destiné à améliorer vos facultés d'adaptation en vue de faciliter votre intégration dans les équipes en place.

Tenez, voilà un CD qui contient tous vos fichiers, nous avons veillé à ce que vos données personnelles ne puissent pas être consultées.

Sébastien fut frappé de retrouver les intonations de HH. Même le comportement, tout en rondeur dissimulant une menace sous-jacente, faisait penser au Directeur Général, jusqu'aux arrondis de la bouche en cul de poule. Mimétisme étonnant.

Le DRH se leva pour conduire Sébastien à son bureau. C'était un homme long et maigre, en costume trois-pièces anthracite. Il marchait à longues enjambées dans les couloirs, la barbiche en avant pour affirmer sa détermination.

Il fit entrer Sébastien dans une grande pièce où se trouvaient six bureaux rapprochés les uns des autres. L'un était inoccupé. Cinq collaborateurs, trois femmes et deux hommes étaient dissimulés derrière leurs ordinateurs ou accrochés à leurs téléphones. Personne ne leva la tête à l'entrée des nouveaux arrivants. Lepetit éleva la voix :

— Je vous demande une minute d'attention pour vous présenter Sébastien Masson que vous devez déjà connaître. Il vient accomplir un stage en vue de donner une nouvelle orientation à sa carrière.

Sébastien s'efforça de montrer un visage souriant :

— Bonjour, heureux d'être parmi vous.

Ils levèrent la tête en grommelant un vague salut. Leurs yeux faisaient penser à ceux des merlus à l'étal d'une poissonnerie.

Merde, encore des poissons se dit Sébastien qui eut la vision de poissons morts qui gisaient au fond d'un aquarium. Il se sentit pris de vertige et s'accrocha au bureau.

— Vous allez bien, M. Masson ? s'inquiéta le DRH.

— Oui, oui, ce n'est rien. Je n'ai pas eu temps de prendre mon petit déjeuner ce matin.

Sébastien s'installa devant son ordinateur. Il hésita à insérer le CD contenant ses fichiers. Il n'avait pas de travail précis à réaliser. Il attendra de voir en quoi consiste sa reprogrammation. De toute façon, il comptait bien ne pas moisir ici. Il appuya machinalement sur la touche du clavier pour mettre l'ordinateur en marche. Il cliqua sur l'icône « mailing list ». Réponse : « No access ».

Sébastien relit le message qui lui refuse l'accès à ce document. Pourtant pas de travail possible sans lui. C'est le sésame indispensable pour être intégré, être destinataire des informations internes relatives à la vie de l'entreprise, avoir les coordonnés de chaque collaborateur. Que signifie ce refus ? Ne pas s'affoler, c'est peut-être une connexion qui n'a pas été rétablie.

Pensif, il revint sur la page d'accueil pour y découvrir l'esquisse de poissons dessinés par Braque qui décorent le bassin en mosaïque de la fondation Maeght à Saint-Paul de Vence. De voir des poissons se reposer au fond de l'eau, sans s'agiter, se cogner, s'esquiver, lui procura un moment d'apaisement. Il s'abandonna, se laissa absorber par cette image.

Un parfum de violette le tira de sa prostration. Celui de Mademoiselle Tortilloni, sa voisine. Il ne l'avait pas reconnue en arrivant.

Quand il était le bras droit du Directeur Général, elle aimait bavarder avec lui à la machine à café. Elle se plaignait de son amertume qui n'avait rien à voir avec le nectar italien qu'elle buvait chez elle. Elle avait même invité Sébastien à venir lui rendre visite pour une dégustation.

Perchée sur de hauts talons, elle transportait avec précaution son chignon monté sur sa tête en forme de pièce montée. Sa robe imprimée de couleurs vives, le rouge de ses lèvres, le rose de ses joues généreusement poudrées finissaient de lui donner l'air d'une gourmandise trop sucrée.

— Mademoiselle Tortilloni, comment allez-vous ? Figurez-vous que je clique sans succès sur « mailing list », savez-vous à qui je peux m'adresser pour me dépanner ? Elle tourna la tête vers Sébastien en laissant échapper un léger soupir. Il s'excusa de la déranger mais de retour dans l'entreprise, il avait tout oublié.

Elle le scruta, de ses deux petits yeux ronds, à travers les verres épais de ses lunettes. Il se souvint qu'il n'avait jamais pu capter son regard.

— Votre absence soudaine nous a tous surpris, monsieur Masson. Je suppose que vous aviez vos raisons, cela ne me regarde pas.

Elle a souri d'un air entendu, attendant de la part de Sébastien des précisions susceptibles de satisfaire une curiosité bien naturelle.

Ses dents tout de même, elle a ça de bien reconnut Sébastien.

— Que faites-vous maintenant ?

— Je suis en formation, en attente d'affectation.

Nouvel examen à travers les verres épais. Elle devait trouver cette situation singulière.

— Il faut vous adresser au service maintenance tout simplement. Votre poste n'a pas dû être encore configuré. Il est vrai que vous aviez une secrétaire autrefois pour s'occuper de ce genre de problème…

Mais, j'y pense, vous n'êtes peut-être pas accrédité ?

À cette idée, son regard se fit soupçonneux. Sébastien devenait un élément sur la touche, étranger à la bonne marche de l'entreprise. Il fallait s'en méfier. Elle conclut sèchement :

— Je suis désolée, je ne peux pas vous parler plus longtemps. Moi, je n'en ai pas le loisir.

Au restaurant d'entreprise, Sébastien chercha une place en circulant entre les tables avec son plateau.

Il regarda si Martine n'était pas là, mais en raison du temps partiel que lui avait concocté HH, Martine ne devait pas être occupée souvent le matin. Quant à Hubert, il devait être au restaurant de direction ou à l'extérieur.

Autrefois, Sébastien déjeunait avec d'autres cadres de l'établissement. Aujourd'hui, personne ne lui fit signe. C'est curieux la rapidité avec laquelle des années d'entreprise peuvent s'effacer en quelques jours.

Il choisit une table dans un coin de la salle. Deux jeunes femmes posèrent leur plateau à côté de lui, en ignorant sa présence. Elles étaient lancées dans des controverses passionnées sur l'adaptation de leurs enfants aux nouveaux rythmes scolaires. Sébastien mangea dans le brouhaha des conversations. Il ne s'attarda pas.

Quand il regagna l'open-space, il constata un changement dans le décor : un cactus avait fait son apparition pour bien marquer la séparation entre son bureau et celui de Melle Tortilloni. Désormais, celle-ci devenait piquante au lieu d'être sucrée.

— Pas très convivial, constata Sébastien d'une voix assez haute pour être entendue.

La Tortilloni, buste droit, masque de marbre, continua de pianoter sur son ordinateur comme si de rien n'était.

Il n'empêche qu'elle avait vu juste pour le répertoire : renseignement pris auprès de Tun Van Laï, le technicien de la maintenance, Sébastien Masson ne figurait plus sur la liste des personnes ayant accès au sésame « Je n'y suis pour rien M. Masson, c'est du ressort de la DRH, moi je ne fais qu'exécuter. »

Sébastien posa ses mains bien à plat pour en faire disparaître le tremblement et il respira profondément à plusieurs reprises avant de téléphoner :

— M. Lepetit ?

— Oui.

— Sébastien Masson.

— Comment ça va, Sébastien ?

— Je me demande ce que je fais là, je suis à côté d'un cactus et je n'ai pas accès au répertoire. La maintenance me dit que vous m'avez retiré mon accréditation.

— En effet, n'oubliez pas que vous êtes en stage expérimental.

— Je suis donc payé à ne rien faire.

— Ne croyez pas ça, vous êtes un sujet dont les réactions nous aideront à apporter à nos clients des solutions aux conflits générés par la cohabitation en entreprise, spécialité de votre collègue Patrick Brian. L'open space, est justement un lieu d'études privilégié où il faut apprendre à remettre de l'humain au milieu d'un champ de bataille…

— Qui a pris cette décision me concernant ? interrompit Sébastien.

— C'est Hubert Hamlet.

Il lui fallait rencontrer Hubert au plus vite cette situation ubuesque n'était plus possible. Il fut pris d'une soudaine envie de vomir et se précipita dans les toilettes.

Il y demeura longtemps la tête entre les mains. Dans ce lieu, il pouvait enfin échapper aux regards, aux jugements, il pleura. Il avait du mal à comprendre ce qui lui arrivait, tout avait été si vite depuis l'arrivée des poissons dans le bureau de HH. Depuis ce jour, il tournait dans un bocal empoisonné. L'oxygène lui manquait. La question de sa survie se posait à lui.

Il fit effort pour se tenir droit en revenant dans l'open space.

Quelque chose s'était passée. Ils le regardaient tous. La Tortilloni se tortillait en tous sens les bras levés :

— Où étiez-vous passé ? On vous a cherché partout. Cette fois, il s'est lâché :

— J'étais dans un endroit où vous ne pouvez pas aller à ma place, Mademoiselle. Un endroit où l'odeur de merde est plus respirable que celle de ce bureau, un endroit où il n'y a pas de cactus pour me piquer les fesses.

Elle l'a regardé, stupéfaite, les bras ballants.

— En tout cas, je vous signale que M. Hamlet a téléphoné. Il s'est étonné de votre absence, il veut que vous le rappeliez immédiatement.

Ils avaient tous cessé de travailler pour le guetter. Qu'allait-il faire ? Qu'allait-il dire ? C'était un grand moment qu'il ne fallait pas rater.

Sébastien s'assit posément, alluma son ordinateur pour retrouver la page d'accueil avec les poissons de Braque qui gisaient au fond de l'eau.

La Tortilloni s'agitait sur son siège, en proie à des démangeaisons devant tant de désinvolture.

Il attendit que tout ce petit monde revînt à ses occupations pour se lever et rappeler HH avec son portable dans le couloir.

— Sébastien Masson… Vous m'avez appelé.

— Oui, Sébastien. Je suis étonné de ne pas pouvoir vous joindre. Il faut vous arranger pour que l'on puisse vous contacter à tout moment.

Je voulais vous prévenir que nous avons un comité de direction demain à 11 h avec intervention de Patrick Brian sur nos perspectives et de vous-même pour un bilan de vos opérations en matière d'audit.

— Pour demain, ce n'est pas possible M. Hamlet, je viens d'arriver et je ne suis pas au courant des évolutions récentes. Vous m'avez privé de tout accès au répertoire.

— Vous plaisantez Sébastien, avec votre expérience, vous devez vous débrouiller. Allez, pas de temps à perdre, nous vous attendons au comité de direction, demain.

Il raccrocha.

8

— Tu vois je te l'avais bien dit qu'il ne fallait pas en faire toute une histoire. Hubert te donne une nouvelle chance. Cette conférence c'est une perche qu'il te tend.

Devant la mine dubitative de Sébastien, Martine, agacée, abandonna ses paroles d'encouragement :

— Tu as l'air tout avachi. Redresse-toi. Arrête de jouer les victimes. Secoue-toi si tu veux t'en sortir.

Sébastien au fond de son fauteuil, supportait mal de voir sa femme en train de pérorer autour de lui.

— Arrête Martine, ta façon de me donner des leçons est inacceptable. Tu es dans une phase ascendante, mais fais attention à toi, plus dure sera la chute. Le parcours du combattant se poursuit jusqu'à la retraite, c'est à ce moment-là seulement que l'on compte les points.

Haussement d'épaules :

— Le monde sourit aux audacieux, qui ne tente rien n'a rien. Mon coach me répète ce slogan de L'Oréal : *parce que vous le valez bien*, tu ne peux pas t'imaginer comme ça me donne confiance en moi.

Elle prit un chocolat sur la table du salon, « c'est plein de magnésium ces cochonneries-là », ce qui lui permit de retrouver un ton plus posé.

— Tu dois bien comprendre qu'un patron n'a pas intérêt à te laisser moisir avec des petits employés, tu ne serais pas rentable, la boîte perdrait du pognon. Hubert est un patron comme un autre, soucieux de rentabilité.

— Non justement ce n'est pas un patron comme un autre.

— Je veux bien reconnaître qu'il se montre parfois imprévisible. Que veux-tu c'est un homme d'une grande sensibilité et, ce qui va souvent de pair, un peu susceptible. Il faut dire que tu avais fait fort en lui piquant ses poissons pour les noyer.

— Tu oublies que, moi aussi j'ai ma sensibilité. Il m'avait traité en larbin et humilié devant ma femme. Tu te souviens de son poisson rouge qu'il voulait te montrer ? C'est bizarre que ces avances grossières ne t'aient pas choquée, toi que j'ai connu si prude. Quant aux poissons, je me suis contenté de les remettre à l'eau. Je les ai rendus à la liberté. Quelque part, je les envie ces poissons.

— En réalité, tu les as noyés. C'était une réaction infantile. Il a voulu te punir, c'est tout. Il t'a fait mariner. Maintenant, il va te repêcher… Tu n'auras certainement pas les mêmes responsabilités qu'autrefois, tu dois t'y attendre, mais au fond est-ce si grave ?

— Tu en parles à ton aise.

— En réalité, je suis persuadé que c'est une chance pour nous deux. Notre couple bat de l'aile, il faut regarder la vérité en face, tu t'en rends bien compte ?

— Oui, bien sûr, j'en souffre assez, mais je ne vois pas du tout en quoi ta nouvelle situation permettrait de le sauver.

— Si, c'est l'occasion de trouver un nouvel équilibre dans notre vie. En réalité, c'est une véritable révolution qui nous attend. Je vais devoir m'investir à fond…

La voilà qui part dans une envolée à travers le salon en brassant l'air de ses deux bras.

— Outre mes contacts auprès des responsables d'entreprises qui nécessiteront des voyages à l'étranger, il va falloir que je suive une formation intense pour rattraper le temps perdu. Au programme : préparer un bachelor marketing/communication, participer à des speeds coachings, sans parler de mes relations dans les réseaux féminins tant internes qu'externes qu'il me faudra entretenir et cultiver.

Tu n'auras pas le choix, c'est toi qui vas devoir t'occuper de nos enfants le soir. Je ne leur ai encore rien dit, ils vont faire la tête ces chers petits, tu les as tellement délaissés. Tant pis, il faudra bien qu'ils s'y fassent eux aussi.

Petite musique de son portable « Oui, Monsieur le Directeur Général j'ai bien noté d'être présente au déjeuner de demain… J'ai commencé à prendre des contacts avec BNP Paribas et Orange pour organiser des rencontres sur la diversité lesbienne, gays et trans… Comme vous me l'aviez recommandé, j'ai insisté sur notre volonté de nous tourner vers tous les talents, quelle que soit l'orientation sexuelle ou religieuse… »

Elle allait et venait, son portable à l'oreille, tout excitée, dans son nouveau tailleur Chanel qu'elle n'avait pas quitté depuis son retour du bureau, à croire qu'elle n'était pas la maîtresse de maison mais quelque invitée de marque.

Au bout d'un bon quart d'heure, elle s'arrêta enfin pour regarder son mari dans les yeux :

— C'est drôle, avant j'aurais culpabilisé de ne pas m'occuper des enfants, maintenant non. Je suis devenue une femme libérée.

— Dire que tu n'avais pas de mots assez durs pour les femmes qui sacrifiaient leurs enfants à leurs besoins de reconnaissance sociale. Hubert t'a vraiment transformée, ma parole, il t'a emballée. Tu cours derrière lui comme une chatte en chaleur.

— Tu es bête, je cours après ma chance, voilà tout. Avec lui, je te l'ai déjà dit, tu ne crains rien, il est impuissant.

— Comment le sais-tu ? Vous avez couché ensemble ?

— Ah ! Non ! Que vas-tu chercher ? On me l'a dit, c'est tout.

— Qui ?

— Anne, son ancienne assistante. Tu sais, c'est notre voisine d'en face. Je l'ai rencontrée sur les bords de Marne, j'étais avec les enfants et elle avec son pékinois. On a causé…

— Qu'est-ce qu'elle t'a dit ?

— C'était une conversation entre femmes, je ne peux pas te répéter… Il lui aurait demandé des choses bizarres qui lui ont fait supposer qu'il était impuissant mais moi je ne suis pas allé y voir.

Après avoir dîné, Sébastien s'assit devant son ordinateur. Il introduisit le CD de sauvegarde remis par le DRH. Il retrouva avec satisfaction ses études de marché et les analyses stratégiques qu'il avait rédigées au cours des dernières années. Et si Martine avait raison ? Si Hubert avait décidé de lui donner sa chance ? Il devait préparer son intervention sous peine de se couvrir de ridicule.

Pour demain, c'était court, mais il avait pris un café serré. L'espoir de retrouver sa vie d'autrefois lui procurait une aisance dont il ne se serait pas cru capable. Les automatismes revenaient, ses connaissances ne l'avaient pas quitté, il n'était pas fini loin de là !

Quand il arriva à boucler son travail, il était presque trois heures du matin. Il se mit au lit exténué. Il chassa de son esprit l'inquiétude de ne pas tenir le coup. Bah ! Ce n'était pas la première fois, il avait toujours fait face aux urgences. C'était la règle d'or pour demeurer dans la course : ne jamais se plaindre, être le type toujours prêt qui jongle avec les idées, qui se joue des difficultés, à qui le travail ne fait pas peur.

Une sorte d'ivresse s'était emparée de lui qui l'empêchait de dormir.

Il connaissait cette sensation d'euphorie. Il l'avait rencontrée à chaque fois qu'il mobilisait ses ressources pour passer une épreuve décisive.

Les hypothèses tournaient dans sa tête comme des poissons dans un bocal. Il supputait les intentions d'Hubert, ses pensées, ses réactions.

Hubert l'avait recruté alors qu'il n'était rien qu'un jeune homme sans perspective. Il lui avait mis le pied à l'étrier, l'avait formé, pris sous son aile, octroyé des augmentations, des promotions jusqu'à en faire son bras droit. Les marques d'estime qu'il lui prodiguait alimentaient une certaine jalousie. On chuchotait qu'il était le

« chouchou » du Directeur Général, les mauvaises langues faisaient même allusion à une possible relation homo.

Il est vrai que le couple qu'il formait pouvait le laisser penser, tant Hubert l'avait façonné à son image, l'avait converti à ses vues, à ses projets.

De son côté, Sébastien admirait Hubert, sa capacité d'anticipation, sa connaissance du marché, ses relations, ses intuitions fulgurantes. Il le tenait même pour un visionnaire.

Lui, en qui il avait mis toute sa confiance, l'avait humilié. Sébastien vivait ce changement comme une trahison. Cette rupture soudaine et incompréhensible s'était produite à l'arrivée des poissons. Insulté au plus profond de lui-même, il s'était vengé sur eux.

Mais maintenant, peut-être était-ce la fin de ce scénario absurde ?

Il allait peut-être retrouver le plaisir d'aller au travail, les poissons sortiraient de ses nuits. Il raconterait à nouveau des histoires à ses enfants avant le coucher, les accompagnerait à l'équitation, ferait des promenades en forêt et passerait avec eux de longs moments à la médiathèque.

Il se sentait capable, pour atteindre cela, de relever le défi. Demain, il serait à la hauteur.

Sébastien s'était levé avec peine. Il avait pris un somnifère léger dans la nuit pour dormir. Pas le temps de traîner devant son café, avalé brûlant. Il fallait prévoir les retards du RER A, ses avaries techniques, les mouvements sociaux, les agressions, les colis suspects, les suicides…

À la gare, il a levé les yeux avec crainte vers le panneau électronique. Il n'osait pas s'imaginer en retard, tous les regards braqués sur lui et les sourires sarcastiques. Non, son train n'était pas supprimé. Le haut-parleur assourdissant n'annonçait pas de retard important sur sa ligne, il se contentait de rappeler à la vigilance dans le cadre du plan Vigipirate. Sébastien est entré dans le premier wagon, le plus proche de la sortie. Pressé par la foule des voyageurs, il a fermé les yeux, pour s'isoler, pour récupérer, le nez collé contre la vitre.

Quelques ralentissements dans les tunnels, c'est tout, il ne fallait pas se plaindre, il serait à l'heure à la Défense.

À 9 h 30, il est entré un des premiers dans la salle de comité. Les autres sont arrivés, occupés à poursuivre leurs conversations. Personne ne le salua, il était devenu invisible. Il se toucha pour vérifier qu'il existait. Il croisa le regard de Guérin qui avait été son collaborateur. Celui-ci ne pouvait pas l'éviter, « ça va » « ça va » comme s'ils s'étaient quittés la veille. Sébastien insista « Qu'est-ce que tu deviens ? » « Toujours dans le même service, je travaille maintenant sous les ordres de Patrick Brian… le voilà justement » et son visage s'éclaira d'un large sourire en l'apercevant. Patrick Brian, l'étoile montante, serrait toutes les mains comme s'il était en campagne électorale. Sourire éclatant sur des dents, émail diamant, des yeux brillants derrière des lunettes rondes. Il a l'air d'un jeune loup prêt à tout bouffer, je dois faire pâle figure à côté de lui, se dit Sébastien. « Ah ! C'est vous Sébastien Masson ? Il faut que je vienne vous voir, je n'en ai pas eu le temps, complètement charrette en ce moment. » Il alla s'asseoir à côté de la place centrale que devait occuper Hubert Hamlet.

Celui-ci se faisait attendre. Certains se risquèrent à regarder leurs montres.

HH arriva avec quinze minutes de retard. Il n'était pas dans son meilleur jour et montrait des signes d'impatience.

Tous le regardaient, soucieux de calquer leur attitude sur la sienne.

— Bonjour à tous, assez perdu de temps… Vous connaissez ma volonté d'élargir notre part de marché dans le domaine des services aux entreprises. Beaucoup de DRH regrettent que les open-spaces soient devenus des zones de tension alors qu'ils étaient censés favoriser l'échange entre les participants. Entre nous, leur raison résidait surtout dans l'économie des mètres carrés de bureau qui grèvent la profitabilité des entreprises. Derrière l'apparence de convivialité, ces espaces de travail ont donné naissance à de véritables guerres de tranchées. J'ai vu dans cette situation l'opportunité pour

CMSE d'ajouter une offre de médiation à notre palette d'outils de gestion des ressources humaines. Je donne la parole à Patrick Brian qui vient de faire une percée prometteuse dans ce domaine.

Avant d'abandonner le micro, HH invita les participants à demeurer particulièrement attentifs car ils seraient appelés à participer peu ou prou dans l'avenir à ces problématiques, d'où l'importance de cette rencontre.

Les applaudissements n'étaient pas de mise dans ce type de réunion, mais des regards approbateurs accompagnaient le Directeur Général et Patrick Brian.

Celui-ci reprit le même couplet en l'illustrant par les conflits qu'il avait réglés. Il avait su écouter, dialoguer, bref *réintroduire de l'humain* dans les rouages.

Cela allait de la guéguerre avec casques de chantier sur la tête pour s'isoler du bruit ou barricades d'étagères ou de plantes vertes pour s'isoler des autres, jusqu'à des grèves sur le tas en raison de l'impossibilité de répondre au téléphone dans la cacophonie.

HH l'interrompit :

— Dans des cas de ce genre qu'avez-vous fait ?

— J'ai pris contact avec les agitateurs. Ce sont la plupart du temps des personnes qui se sentent persécutées. Le seul fait de leur téléphoner directement les sort de l'anonymat. J'ai eu un entretien avec chacun d'eux, avant de les recevoir avec leurs collègues. J'en termine par une poignée de main qui marque la réussite de ma mission. Ce n'est pas toujours possible. Pour la grève des réponses téléphoniques, j'ai obtenu de la Direction que les interrogations se fassent uniquement par mails.

— Vous devez avoir rencontré des cas plus délicats ?

— Bien entendu, car dans beaucoup d'entreprises les collaborateurs se tutoient, se mélangent, se reçoivent, se soulent et couchent ensemble. Ceci peut dégénérer en situations explosives surtout en open-space où les gens se côtoient et s'observent toute la journée. J'ai même rencontré le trio mari, femme et amant réunis dans un espace de travail commun. Je vous laisse imaginer l'ambiance…

Rires discrets dans la salle de comité. L'orateur laissa le temps à l'auditoire d'apprécier tout le sel de cette situation avant de reprendre sur un ton plus grave :

— Cela fait comédie de boulevard, en réalité c'est un véritable psychodrame.

Patrick Brian s'appliqua ensuite gravement à mettre en exergue tout le doigté qu'il avait su déployer pour désamorcer et éviter des drames susceptibles d'aller jusqu'au suicide.

Pour Sébastien, il se produisit alors, presque rien, quelque chose d'insignifiant, Nakache, l'homme des statistiques, lui fit un clin d'œil. Chaud au cœur, ce signe de complicité, le premier depuis son retour, rayon de soleil furtif dans un ciel plombé.

Morvan, le responsable de la prospection commerciale estima nécessaire d'intervenir, de crainte de rester sur la touche sur un projet qui entrait dans sa sphère de compétence :

— Vous avez fait allusion aux suicides. Il faut aller plus loin dans notre réflexion : nos médiateurs devraient recevoir une formation qui leur permette de trouver une alternative à la violence psychique. Moi-même, je n'ai pas hésité à entreprendre une formation sur le profil des névrosés qu'il est nécessaire de savoir détecter, si l'on veut faire un travail sérieux.

Raté.

HH, agacé, balaya d'un revers de main cette suggestion.

— Pas du tout Morvan, ce serait trop lourd et trop coûteux. Si nous voulons emporter des marchés, notre procédure de médiation doit demeurer pragmatique et la facture abordable. Nos clients attendent de nous de pouvoir retrouver rapidement et au moindre coût des salariés aptes à trimer. Point final. Une psychothérapie serait hors de propos.

Bon, je crois, Patrick, que nous en arrivons à la conclusion ?

— Oui, Monsieur le Directeur Général, je voudrais terminer par une note plus drôle : des collaborateurs se plaignaient d'être méprisés par leur chef de service. J'en ai trouvé la cause. Ce chef ne cessait d'arborer un sourire crispant, sorte de rictus scotché sur son visage à chaque fois que l'on s'adressait à lui.

L'anecdote eut le pouvoir de faire sourire HH et du coup les rires fusèrent dans l'assemblée.

— Bien, d'autres questions ? interrogea Hubert Hamlet.

Sébastien leva la main : « Vous m'aviez demandé d'intervenir sur les questions d'audit... »

— Sébastien, vous voyez bien que les questions que nous avions à traiter étaient plus urgentes et d'une autre importance. Par contre, pour rester dans le sujet qui nous occupe, j'aimerais savoir ce que vous avez à dire sur votre expérience en open-space.

— Je n'ai rien à en dire, je trouve que ma présence dans cet endroit est inappropriée.

— Dommage, Sébastien, nous avions pensé à vous pour l'équipe de médiation que nous allons constituer. Il ne faut plus y songer, d'autant que votre réaction négative confirme votre incapacité d'adaptation dont nous a fait part le DRH. N'est-ce pas M. Lepetit ? Celui-ci acquiesça d'un air grave. Vous avez encore raté le coche Sébastien.

Devant le désarroi que Sébastien ne parvenait pas à cacher, on s'attendait à un sourire narquois d'Hubert Hamlet mais sa jubilation devait être si intense qu'il fut pris d'un accès d'hilarité irrépressible et interminable qui le secoua et vint plisser tout son visage en une horrible grimace. Surpris, les participants esquissèrent un sourire gêné.

9

Sébastien était ramené brutalement à la case départ. Celle du type derrière des barreaux, l'éternel recalé. Pas envie de retrouver son open-space, il sortit sur l'esplanade. Mortifié, il marchait sans but, tête baissée.

Il se voyait en poisson de laboratoire soumis à des expérimentations. Autrefois, il frétillait, nageait avec les autres, heureux comme un poisson dans l'eau, sans se rendre compte qu'il était enfermé dans un bocal. Puis un homme s'était penché au-dessus du bocal, il avait laissé tomber une pastille.

Presque rien, un petit plouf et l'eau s'était troublée. L'homme souriait. Le poisson continuait de nager bravement mais dans ce voile opaque il se cognait aux parois du bocal. Il s'affolait et ne savait plus se diriger. L'homme l'examinait en souriant.

Puis négligemment, sans se presser, il avait laissé tomber une autre pastille, puis une autre encore. L'oxygène s'était raréfié. Le poisson s'était senti dépossédé de sa nature de poisson. Rire de l'homme quand il avait vu le poisson remonter à la surface sur le ventre et devenir méconnaissable. Exaltation, orgasme, « Hiroshima mon amour ! ». Le rire au-dessus du bocal n'en finissait pas, devenait saccadé, se transformait, ce n'était plus le rire d'un homme mais celui d'une hyène.

Sébastien sentit la peur le gagner. Il grelotta. Manger lui ferait du bien. Il entra dans le restaurant le plus proche.

À cette heure, il y avait encore peu de monde. Sébastien put choisir un coin discret. Par habitude, il commanda le plat du jour. Il le regretta en voyant arriver un filet de dorade à la provençale entouré d'une purée mousseline. Encore un poisson ! Il le repoussa dans un coin de l'assiette et se contenta de manger la purée mousseline.

— Vous permettez ?

Sorti brusquement de sa purée, Sébastien leva les yeux, surpris de voir Nakache courber sa longue carcasse devant lui.

— Oui, bien sûr.

Nakache, le matheux sorti de polytechnique, ses rapports avec lui, bien que cordiaux, avaient été assez rares.

— Vous avez vu ce matin ? Brian, il n'y en avait que pour lui. J'ai été choqué de voir HH refuser de vous donner la parole, alors que votre intervention était prévue. Méfiez-vous de Brian, ce type a les dents longues, il pourrait prendre votre place.

Sourire résigné de Sébastien :

— C'est déjà fait, il a pris ma place et mon bureau. Nakache frappa du poing sur la paume de sa main.

— J'en étais sûr. Il paraît qu'ils vous ont collé en open space ?

— Oui, c'est exact.

— Vous faites quoi là-dedans ?

— Rien.

Les yeux de Nakache s'arrondirent et ses lorgnons remontèrent d'un cran sur son nez.

— Comment rien ? Le DRH a bien dû définir un objectif ?

— Il m'a dit que c'était un stage de reprogrammation destiné à me formater… J'ai cru comprendre qu'il s'agissait de tester mes facultés d'adaptation pour une possible reconversion. Je n'ai pas pu avoir d'autres précisions. Je ne suis pas certain d'ailleurs que le DRH en sache beaucoup plus, c'est une idée perso de HH.

— Dire que vous étiez son bras droit, c'est incroyable ! Du temps de Mme Pellerin ça ne se serait pas passé comme ça… Vous savez nous sommes dans le même bateau, HH me reproche d'avoir fourni des prévisions erronées au moment de l'acquisition de « Prospect ».

Cette opération s'est révélée déficitaire alors il me fait porter le chapeau. Dommage pour lui, je ne supporte pas les chapeaux trop grands. Actuellement, nous sommes en négociation pour aboutir à une rupture conventionnelle. Dès que j'aurai obtenu une indemnité convenable, je me tire de la boîte, et sans regret croyez-moi !

Grand geste du bras pour exprimer son désir de larguer les amarres.

— Nous ne sommes pas dans le même bateau, monsieur Nakache, moi le mien il coule. Je ne sors pas de polytechnique comme vous, je suis un produit maison, il me sera difficile de retrouver un boulot. En plus, j'ai un crédit sur le dos pour l'achat de mon logement, une femme et deux enfants et ma femme… ma femme…

Sébastien demeura la bouche ouverte : Martine venait d'entrer.

HH se tenait tout près d'elle. Deux hommes les suivaient, Sébastien reconnut Brian et Guérin. Ils prirent place dans la bonne humeur à la table qui leur était réservée. Le restaurant était plein maintenant. Ils ne risquaient pas de voir Sébastien masqué par la haie des clients. Il se faisait tout petit dans son coin mais ne perdait rien de la scène.

Sébastien regardait, crispé, le spectacle de ces trois hommes autour de Martine. Ils bourdonnaient de plaisanteries, de bons mots, désiraient la butiner, ça se voyait à leurs airs goulus. Radieuse, elle savourait, se pavanait devant eux, offerte à leurs regards qui plongeaient dans le soutien-gorge pigeonnant qui lui faisait les seins plus gros. Elle ne l'avait mis qu'une fois avec lui ce soutien-gorge, pour une soirée costumée dans un relais-château de la Drôme. Il l'avait tellement désirée ce soir-là. C'est elle qui l'avait fait basculer dans le grand lit à baldaquin, il s'en souvient encore. Il lui en voulut d'avoir osé mettre ce soutien-gorge provocant, même si les larges bretelles à dentelles sauvegardaient aujourd'hui un semblant de décence. À un certain moment, Hubert fit mine de la protéger des assauts de galanteries trop appuyés en posant la main sur son épaule, manière de montrer aux deux jeunes qu'il demeurait le chef, qu'elle lui appartenait. Elle tourna vers lui un visage reconnaissant.

Nakache s'était retourné pour voir :

— C'est votre femme ?

Sébastien acquiesça sans un mot.

— Elle a l'air bien en cour. C'est peut-être une chance pour vous. Qui sait ? Votre bateau pourrait ne pas couler, elle pourrait vous sauver la mise auprès du Directeur Général ? Clin d'œil que Sébastien n'apprécia pas. Renfrogné, il fit un geste de dénégation de la tête.

Nakache le regarda attentivement, les yeux plissés par l'effort de concentration pour scruter l'avenir.

— Je crois que vous avez raison… Avec notre cher Hubert, vous courez le risque de tout perdre : femme, enfants, clients, boulot, maison. Un jour, sans avoir rien compris au film, vous pourriez vous retrouver à poil, à la porte de chez vous.

Sébastien regarda sa montre, il en avait assez.

— Ne vous cassez pas la tête pour les horaires Sébastien, dans la situation où nous sommes, il n'est plus nécessaire de nous en préoccuper. Sébastien se rendit compte que de toute façon il ne pourrait pas sortir sans être vu par Martine et sa cour ce qu'il voulait éviter à tout prix. « Vous êtes un peu pâle, je vais vous offrir un remontant, ils ont un excellent armagnac ici. »

C'est vrai que l'alcool brûlant au fond du gosier, ça lui fit du bien à Sébastien.

Du coup, il commanda à son tour un autre verre « c'est ma tournée », puis Nakache ne voulut pas en rester là et ce fut un nouvel armagnac « pour fêter notre rencontre » Le restaurant s'était vidé de ses clients, le flux les avait amenés, le reflux les ramenait dans leurs tours.

Nakache avait pris sa tête dans ses mains. Sébastien se demandait s'il somnolait. Non, il réfléchissait car au bout d'un moment il énonça d'un ton docte :

« Sébastien, vous êtes dans une sale passe, vous êtes victime de harcèlement, ils veulent vous pousser dehors sans bourse déliée. Surtout, ne démissionnez pas. Le harcèlement est un délit condamnable. Vous ne vous en sortirez pas tout seul, il faut vous faire aider par les syndicats. Il n'y a pas de honte à ça même pour nous qui sommes des cadres supérieurs. Moi-même je n'ai pas hésité, j'ai pris contact avec Serge Leroy de la CGT, c'est le plus combatif. »

Derrière, les garçons s'agitaient, ils rangeaient tables et sièges avec bruit, désireux d'en terminer. C'est en soupirant que l'un d'eux servit encore deux petits verres « pour la route » à ces deux paumés. Il leur réclama le règlement immédiat de l'addition, c'était la fin du service, il fallait encaisser.

L'un aidant l'autre, c'est avec peine qu'ils retrouvèrent leur aplomb. Ils marchèrent à pas comptés en direction de la tour. « La tour infernale », ricana Nakache. Elle s'élevait devant eux dans la lumière d'un soleil finissant d'automne. Les nuages se réfléchissaient sur les parois vitrées. Cathédrale des temps nouveaux, elle les écrasait de toute sa hauteur, de toute sa superbe. Autour d'eux, des silhouettes d'hommes, costumes sombres, chemises blanches, chaussures brillantes se pressaient, droits et fiers, sacoches à la main, écouteurs aux oreilles. Ils se sentirent exclus de ce gratin auquel ils avaient hier appartenu.

Ils tombèrent dans les bras l'un de l'autre au moment de se séparer, après avoir échangé le numéro de leurs portables et s'être promis aide et assistance.

En bas de sa tour, Sébastien a fait toutes ses poches avant de retrouver son badge. Maladroit, il hésita avant de pousser le tourniquet, ce qui lui valut de prendre la porte d'accès dans la tronche. Le coup l'ébranla si fort qu'un bleu devait maintenant orner son visage.

Au dix-huitième étage, avant de pénétrer dans les bureaux de CMSE, il introduisit à nouveau son badge, l'écran affichait SÉBASTIEN MASSON 16 h 35.

Quand il est enfin entré dans son open-space, les regards ont convergé vers lui. Il arborait un sourire satisfait qui ne manqua pas de surprendre. Après avoir consulté le registre des rendez-vous pour s'assurer que le bureau de réception était libre, il s'empara d'un dossier épais et se dirigea d'un air pénétré vers le bureau. À peine installé, il constata que la paroi de verre le rendait encore plus visible. Heureusement, il ne tarda pas à apercevoir qu'un volet métallique, destiné à se protéger d'une trop grande clarté, permettait de se soustraire aux regards. Il s'empressa de le dérouler et put enfin s'asseoir avec un soupir d'aise.

Il arriva que la porte s'ouvrît de temps en temps sur quelques têtes curieuses. Elles virent Sébastien Masson immobile, les coudes sur la table, la tête entre les mains, absorbé dans l'étude d'un dossier. En s'approchant, on aurait pu remarquer qu'il avait fermé les yeux.

Sébastien ne tarda pas à repartir, toujours sous les yeux ahuris des occupants de l'open space. Il devait aller, comme prévu, chercher ses enfants à l'école. Benjamin et Romane prévenus ont accepté sans trop rechigner ce changement.

Après les avoir fait dîner, il a mis les enfants au lit. « Qu'est-ce que ça veut dire louseur ? » a questionné Romane. Soupir. « Tu veux dire loser, c'est un mot anglais qui veut dire perdant, pourquoi tu me demandes ça ? » « Parce que maman a dit que tu étais un louseur. » Il respira profondément avant de répondre avec calme : « C'est vrai que ton papa perd souvent en ce moment, mais ça peut changer comme dans les jeux. De temps en temps, on perd, de temps en temps on gagne ».

En arrivant, Martine avait quitté son chemisier et son soutien-gorge pigeonnant pour se mettre à l'aise dans une petite robe cotonnade.

— J'ai déjeuné avec ton patron, il m'a parlé de toi, il est déçu par ton comportement. Tu aurais refusé de prendre la parole au moment de la conférence et compromis tes chances d'être retenu comme médiateur par ton inaptitude.

Sébastien ferma les yeux, il n'en pouvait plus, Martine gobait les affirmations de *l'autre* sans examen, elle passait à l'ennemi. Il se leva sans un mot.

Son balcon, son refuge, mais ce soir il ne regarda pas les voisins d'en face, il resta recroquevillé sur lui-même comme un animal blessé.

Des ennemis au bureau et chez lui, il était cerné, le piège se refermait sur lui.

Il puisa dans ses souvenirs d'enfant pour trouver du secours. Une image de toute-puissance remonta à la surface. Il tenait un revolver à bout de bras, tous s'étaient aplatis devant lui en hurlant de terreur, sauf son grand-père qui riait. Lui savait que le revolver n'était pas chargé.

Il s'est plu à imaginer la tête d'Hubert quand il entrerait dans son bureau, droit comme la justice, son revolver pointé sur sa sale gueule d'hypocrite.

Sur le moment, cette image le soulagea.

Plus tard, elle devait revenir avec insistance. Il eut alors peur de ne plus pouvoir maîtriser sa violence. Elle risquait de l'emporter vers quelque chose d'irrémédiable.

10

Cette nuit-là, Sébastien rêva qu'il tirait à coups de revolver sur les poissons. Les balles faisaient un plouf ridicule dans l'eau sans les atteindre. Ils continuaient de nager, la nageoire insolente et la bouche narquoise.

Le matin, épuisé, l'idée d'avoir une nouvelle journée à vivre dans son open-space l'anéantit. Jamais il ne parviendrait à la franchir cette journée. Une chance, aujourd'hui il n'aurait pas à s'occuper des enfants, Martine restait à la maison. À propos des enfants, l'avenir l'inquiétait. Quelle image de père pourrait-il désormais leur donner ? Celle d'un loser ? Cette étiquette le disqualifiait, s'imprimerait dans leurs têtes d'enfants et le rendrait incapable d'être un modèle pour eux.

Dans les couloirs du RER, la tête lui tourna. De peur de perdre l'équilibre et d'être écrasé par la foule menaçante, il se réfugia sur un banc. Assis, il regardait, les mille-pattes monstrueux qui défilaient devant lui sans le voir. Au bout d'un moment, il se résigna à poursuivre son trajet. Il rasait les murs jusqu'à les toucher quand il se sentait vaciller. Il traversa le parvis de la Défense en somnambule. Arrivé à l'étage de l'open-space, son corps paralysé refusa d'y retourner.

Sébastien fit brusquement demi-tour, reprit l'ascenseur et appuya sur le bouton de l'étage supérieur, celui de la Direction Générale.

En sortant de l'ascenseur, il fonça vers le bureau du Directeur Général, bouscula l'hôtesse venue à sa rencontre. Affolée, elle se précipita sur son téléphone mais n'eut pas le temps de prévenir son patron, Sébastien avait déjà ouvert la porte du bureau.

Hubert Hamlet était là. Il tournait le dos absorbé par le spectacle de son aquarium. Il ignora le téléphone qui sonnait. Sébastien, décontenancé, demeura immobile. Au bout d'une minute, il l'appela par son prénom : « Hubert ! »

Celui-ci se retourna les yeux écarquillés « Sébastien ? Qu'est-ce que vous faites dans mon bureau ? »

— Je veux vous parler.

— Vous ne savez pas qu'il faut prendre rendez-vous.

— C'est urgent.

Sourire ironique de HH :

— Je ne vois pas ce qu'il peut y avoir d'urgent dans votre situation, vous n'êtes pas bousculé que je sache.

— Arrêtez de plaisanter Monsieur le Directeur Général, je suis au bout du rouleau, ma situation est devenue insupportable, ça ne peut plus durer.

Le visage blême, les poings serrés, Sébastien s'approcha. Il se pencha sur le bureau, menaçant, la lèvre tremblante.

— Il faut que vous compreniez qu'il faut cesser de jouer avec moi.

Hubert eut un mouvement de recul. Il se leva, une main ouverte devant lui pour se protéger.

— Vous êtes complètement malade !

— Oui, je suis malade !

Du coup, changement de ton chez Hubert Hamlet :

— Asseyez-vous, Sébastien. Que voulez-vous ?

Hubert Hamlet parlait maintenant avec commisération. Les mains posées bien à plat sur son bureau, le regard pénétrant, il s'était transformé en bon docteur à l'écoute de son patient.

— En premier lieu, il me faut un bureau individuel. Je ne supporte pas d'être livré en pâture à la curiosité malsaine des employés de votre open space.

— Accordé. Je règle ça tout de suite. Il prit son téléphone.

— Allo, Lepetit ? Hamlet à l'appareil. Dites-moi le bureau *underground* est-il libre ? Oui… Très bien. Faites-le préparer pour recevoir Sébastien Masson. Quand ? Disons cet après-midi après déjeuner, ça vous convient Sébastien ? Le temps qu'il se remette, il est très perturbé. Il passera à votre bureau.

Sourire satisfait :

— Voyez, je fais le maximum, ce sera tout Sébastien ?

— Non, il reste le plus important : figurer dans la « mailing-list », retrouver une véritable fonction dans l'entreprise.

Le visage de HH se rembrunit.

— Non, là, vous m'en demandez trop. Il faudrait que nous ayons au préalable une discussion approfondie pour faire le point sur votre place dans notre maison. Aujourd'hui, je n'ai pas le temps car je dois préparer mon voyage en Suisse. Vous avez raison de penser que votre situation actuelle ne peut se prolonger. Je vous avais donné une chance, par amitié pour Martine afin d'assurer un revenu minimum à votre foyer, mais votre stage de reprogrammation s'avère négatif. Ma générosité a des limites. Je vous ferai part de ma décision à mon retour.

Il se leva pour marquer la fin de l'entretien. Il entraîna Sébastien vers la porte en lui prodiguant de petites tapes sur les épaules.

— Bon, ne vous inquiétez pas, nous réglerons tout ça prochainement. Pour le moment, prenez vos dispositions pour garder les enfants la semaine prochaine car Martine doit m'accompagner dans mon voyage en Suisse. Sa présence représente un atout pour me permettre de décrocher des contrats juteux avec un prospect important de la place.

En se retournant, Sébastien vit le visage de son patron se plisser comme s'il se contenait de rire.

Quand il découvrit son nouveau bureau, Sébastien comprit qu'il venait simplement de changer de prison. Il était transféré en cellule après un passage en milieu ouvert.

Même le DRH paraissait gêné. « Voyez, nous avons fait le nécessaire au plus vite pour vous donner satisfaction. Bon… Je vous laisse car j'ai du travail ». Tel un entrepreneur de pompes funèbres dans son costume noir, Monsieur Lepetit repartit content d'en avoir terminé.

La pièce, sans ouverture autre que la porte, située en sous-sol au niveau des parkings, consistait en un local désaffecté aménagé à la hâte en bureau. Le meuble de travail, le fauteuil et la chaise en bois, déposés au milieu de la pièce n'étaient pas de la dernière génération et avaient fait l'objet de nombreux déménagements à en juger par les traces des coups et rayures. Les affaires personnelles de Sébastien et un ordinateur l'attendaient en vrac sur le bureau.

Un technicien s'employait à faire les branchements et installer le téléphone. C'était un Asiatique un peu enrobé qui n'arrêtait pas de souffler. Manifestement mal à l'aise, il devait souffrir de claustrophobie, ce que Sébastien comprenait fort bien. « Vous permettez ? » Sans attendre, il ouvrit la porte d'un air ulcéré : « On étouffe ici. » Comme si Sébastien y pouvait quelque chose. Le bruit des moteurs venant du parking et la pétarade assassine d'une grosse cylindrée s'engouffrèrent alors dans la pièce… Quand il eut terminé, le technicien ramassa rapidement son outillage. Il partit après avoir demandé :« Je vous enferme ? » avant de tirer la porte.

11

Demeuré seul, Sébastien sentit qu'une migraine nauséeuse était en train de monter en lui. Il se saisit du téléphone pour raconter à Nakache son entrevue avec HH et son déménagement.

— Il s'est foutu de vous notre cher Hubert. Vous avez bien fait de me prévenir car mon affaire de rupture vient de se conclure et je ne vais pas tarder à faire mes valises. J'ai hâte de voir où ils vous ont installé. Je passe dans une demi-heure le temps de vous trouver.

Quand il entra, Nakache regarda avec effarement autour de lui. Il joignit les mains en une prière muette :

— Mon Dieu est-ce possible ? Au moins, ça a le mérite de la franchise, vous vous trouvez à côté du local de l'entretien avec les seaux, les balais et les aspirateurs, c'est-à-dire carrément au placard. Difficile de faire mieux dans le genre.

Sébastien esquissa un sourire :

— Au point où j'en suis… Je préfère les balais des femmes de ménage aux ballets des courtisans.

— Très bon, je vois que vous n'avez pas perdu le sens de l'humour, tant mieux car il va vous en falloir une bonne dose. Plus sérieusement, je vous informe également que le local syndical se trouve dans les sous-sols non loin d'ici. Il est « aux oubliettes » comme vous, ce qui est significatif de la politique sociale de la maison mais présente l'avantage de pouvoir vous y rendre en toute discrétion. Une visite à Serge Leroy, le délégué syndical de la CGT, s'impose. Examinez avec lui s'il existe un moyen juridique de sortir de votre prison sans perdre vos droits.

Nakache prit le temps de s'asseoir en face de Sébastien avant de continuer :

— Comment vous sentez vous ? Pas très bien, j'imagine ?

— Très mal, franchement je ne sais pas si je vais pouvoir tenir le coup, je ne vois pas d'issue.

— Connaissez-vous Henri Laborit ?

— Non…

Sébastien, surpris par cette question, leva la tête vers son ami.

— Laborit était un chercheur qui a porté un regard de biologiste sur les comportements humains. J'ai pensé à lui en vous voyant dans votre trou à rat. Le film d'Alain Resnais « Mon Oncle d'Amérique », nourri des observations de Laborit, montre justement un rat soumis à une expérimentation d'évitement. Vous avez vu ce film ?

— Non.

— Je vous le conseille. Il repasse de temps en temps dans les cinémas d'art et d'essai.

Nakache entreprit de rendre compte de cette scène qui n'était pas, selon lui, sans intérêt pour Sébastien. On y voyait un rat dans une cage à deux compartiments. L'animal était soumis pendant 7 jours à une stimulation électrique plantaire de courte durée précédée par un signal lumineux et sonore. Si l'animal pouvait agir en fuyant dans le compartiment d'à côté, il préservait son équilibre biologique. Si par contre la porte de communication, entre les deux compartiments, était fermée, l'animal ne pouvait pas fuir. Il allait alors subir un comportement d'inhibition. Après les 7 jours d'expérimentation, on constata que ce comportement avait causé à ce rat des affections diverses, en particulier d'ordre psychosomatique.

D'un geste de la main, Nakache invita Sébastien à patienter car ce pauvre rat n'en avait pas terminé. On va introduire un autre rat dans le compartiment fermé. Les deux rats se battront. Certes, notre rat n'évitera pas la punition électrique mais, en agissant, il échappera à l'inhibition source de perturbations telles que l'hypertension, la dépression et autres conséquences dommageables.

Sébastien avait écouté attentivement.

— Merci, Nakache, de votre démonstration. Le rat dans sa cage a remplacé le poisson qui tourne dans son bocal et dans ma tête. C'est heureux, ça me change d'univers et le rat, animal intelligent, répond mieux à ce genre d'expérience. Pour moi, la leçon est claire, il faut que j'agisse pour me sauver…

Sur cette constatation, Sébastien s'interrompit, en proie à une grande perplexité, ce qui amena Nakache à reprendre la parole :

— À voir votre air pensif, vous devez vous dire que c'est plus facile à dire qu'à faire. Si je peux me permettre un conseil, choisissez la fuite. L'affrontement avec HH serait voué à l'échec et vous y laisseriez des plumes. Ce type est vicieux et retors. En outre, la Société, avec ses lois et ses institutions, à commencer par CMSE, sera derrière lui pour écraser l'intrus qui dérange l'ordre établi. Vous avez d'ailleurs déjà expérimenté la révolte et vous en avez vu les conséquences. Non, vous n'avez pas le choix, il ne vous reste que la fuite que vous ne devez pas considérer comme une lâcheté mais comme une opération de survie. C'est l'idée défendue par Laborit dans son livre intitulé de façon significative « Éloge de la fuite ».

— Je peux bien vous l'avouer, vous l'avez deviné, impossible de fuir, je suis coincé, pris dans un étau entre ma femme et mon patron.

— C'est toujours comme ça Sébastien, quand le bateau coule il fait eau de partout. Le patron et la femme, même combat pour vous couler. La porte de sortie, vous ne la voyez pas aujourd'hui mais vous finirez par la trouver. Gardez confiance, il y en a toujours une. Vous savez, il y a plusieurs façons de fuir : la drogue, la psychose, le suicide. Bien entendu, je vous déconseille ces moyens mais vous pouvez également fuir au bout du monde ou dans une nouvelle vie ou dans l'imaginaire. La fuite changera votre horizon, vous fera connaître d'autres paysages, d'autres hommes et surtout… d'autres femmes. Tapez aux fenêtres et aux cloisons de votre vie pour chercher. Je ne voudrais pas vous faire de peine mais vous ouvrir les yeux concernant votre femme. À l'occasion de ce voyage en Suisse, ne vous faites pas d'illusions, Hubert va en profiter à tous les points de vue professionnel et personnel… Je n'insiste pas. De votre côté, vous n'êtes pas aussi démuni que vous le croyez, il vous reste un atout, savez-vous lequel ?

— Vous m'étonnerez toujours mon ami, je ne vois vraiment pas, je me sens si misérable, trahi et rejeté du monde.

Nakache regarda autour de lui.

— Isolé en sous-sol, coupé de toute vie sociale, HH, vous connaissant, pense que vous allez demeurer comme le rat de Laborit à broyer du noir et à vous détruire lentement. Non ! Vous ne lui ferez pas ce plaisir, ne rentrez pas dans son jeu. Dans ce sous-sol, vous échappez à tous les contrôles, à son contrôle, c'est votre seul atout, profitez-en. Transformer votre prison en un espace de liberté. Cherchez les femmes par internet, rien de tel pour vous changer les idées. Il existe des sites pour tous types de rencontres. Vous pourriez même, en attendant mieux, aller voir les putes car j'imagine qu'avec Martine les relations sexuelles sont au point mort.

Excusez ma liberté de parole Sébastien, mais nous sommes entre hommes et la situation m'y autorise car il faut bien survivre… J'arrête là mon discours, j'en ai assez dit pour aujourd'hui. Je vous laisse réfléchir et agir. Nous nous reverrons, mon frère, pour nous raconter la suite de nos aventures.

12

De retour dans son appartement de Champigny, Sébastien se mit à chercher le revolver de son grand-père. Il savait qu'il était toujours là, mais où ? Après avoir ouvert tous les tiroirs, une image lui revint. Un jour, il était monté sur un tabouret pour le planquer. En haut de l'armoire, il trouva un carton à chapeaux et là, au milieu des chiffons, le revolver l'attendait.

Quand Martine revint, elle chercha Sébastien. Il était en train d'astiquer le revolver, qu'il tournait et retournait avec satisfaction comme un adorable joujou.

— Mais qu'est-ce que tu fais ?

Sébastien leva la tête. Il plongea son regard dans les yeux écarquillés de Martine et fut heureux d'y lire la frayeur. Pour une fois, elle devait se soumettre à son pouvoir.

— Tu vois j'astique le revolver de grand-père, il m'attendait.

— Mais pour quoi faire ? Tu ne vas quand même pas faire des bêtises ? Tu n'as quand même pas l'idée de te faire du mal ?

Sébastien éclata de rire :

— Non rassure toi, il n'est pas chargé. Tu sais si l'idée de m'en servir me venait je crois qu'il y en a un qui y passerait avant moi.

— Pas très rassurant, tu ne t'arranges pas… Je m'inquiète pour les enfants. Tu ne peux pas continuer à t'en occuper. Pour une fois que mes parents ne sont pas en voyage, je vais leur demander de s'en charger. Ils n'habitent pas trop loin c'est une chance. Ils vont me demander si tu es d'accord.

— Oui, pour une fois nous sommes d'accord, je ne me sens plus capable de m'occuper des enfants. Toi et ton Hubert, vous y êtes pour quelque chose.

— Bon… ça pourrait démarrer la semaine prochaine, car je dois partir en Suisse pour négocier un gros contrat.

— Avec Hubert, je le sais.

— Ah ?

— Oui, je l'ai vu. Il m'a installé dans un nouveau bureau où je suis seul.

— C'est super.

— Oui, c'est un véritable enterrement dans les sous-sols.

— Ah ?

Martine ne tenait manifestement pas à discuter. Elle se contentait de prendre un air contrit.

13

Martine, arrivée en avance, feuilletait nerveusement les journaux sans parvenir à fixer son attention sur un article. Elle levait la tête de temps en temps sur l'avion d'Air France qui l'attendait. Hubert qui ne supportait pas d'avoir à patienter ferait certainement son apparition à la dernière minute. Elle l'imaginait venir à sa rencontre avec la désinvolture élégante qu'il affectionnait. Il donnait l'impression de *surfer* sur les obstacles. Quelle différence avec la démarche hésitante de son mari et son air soucieux qui ne manquait pas de déclencher le sourire moqueur de son patron. Hubert manifestait d'ailleurs un souverain mépris à l'égard des laborieux ensevelis sous leurs problèmes. Mépris affiché pour déstabiliser ou caché par un sourire de façade quand il fallait ménager l'interlocuteur.

Martine avait donc le temps de respirer, de réaliser qu'elle ne partait pas en vacances mais en voyage d'affaires. Son premier voyage d'affaires. Jamais elle n'aurait pensé que cela puisse arriver à Madame Masson, mère au foyer à Champigny-sur-Marne, à la vie bien rangée, qui se contentait de vivoter dans le sillage de son mari. Hormis un emploi de secrétaire à la Société Métallurgique du Centre, vite abandonné pour s'occuper de ses enfants quand son mari avait pu obtenir un poste bien rémunéré chez CMSE, son curriculum vitae n'était guère reluisant.

Elle suivait une formation accélérée pour se mettre à niveau. Hubert lui avait recommandé de se prévaloir, dès maintenant, auprès de ses collègues, d'un Master de marketing délivré par une Business School pour justifier d'un avancement que certains pourraient juger trop rapide. « Personne n'ira voir », avait-il ajouté en riant de la voir étonnée de ce conseil venant d'un membre de la Direction Générale.

À cet instant, dans l'aéroport bourdonnant, elle prit conscience qu'elle venait de changer de vie, pas seulement un changement dans son quotidien ou dans sa vie professionnelle. C'était quelque chose de plus profond, une véritable transformation de tout son être. Elle rendait grâce à Hubert d'avoir permis ce changement de dimension. Son « moi » s'était élargi, elle évoluait dans un espace plus grand. Les êtres, les choses, même l'air qu'elle respirait, étaient devenus plus légers, se mettaient désormais à son service.

Comment avait-elle pu un jour accepter de construire toute une vie avec Sébastien ? Il est vrai qu'à l'époque, elle avait quelque chose d'une « oie blanche », elle devait bien l'admettre. Il faut croire que la placidité et la bonne éducation de Sébastien l'avaient rassurée mais aujourd'hui le souvenir du couple qu'il formait lui renvoyait une image ridicule. En dehors des enfants qu'ils avaient quand même faits ensemble, seule sa réussite professionnelle l'avait retenue auprès de lui et voilà que cet idiot venait de perdre son seul atout. Manifestement très maladroit avec Hubert, son orgueil mal placé l'avait conduit à un comportement qu'elle jugeait stupide. À ses yeux, il avait tout perdu, il n'était plus rien.

Son portable sonna, Hubert, très en retard, lui conseillait d'embarquer sans l'attendre.

— Alors, Martine, tout s'est bien passé ? Vous n'avez pas trouvé trop pénibles toutes ces formalités ?

Déjà installée dans l'avion, elle n'avait pas vu venir Hubert s'asseoir à côté d'elle. Il effleura son bras d'un geste caressant, pour lui faire oublier tous les petits désagréments qui accompagnent les embarquements.

Elle sourit à cet homme qui faisait preuve de tant de délicatesse, de son large sourire qui découvrait jusqu'aux gencives ses dents si blanches. Elle savait que son sourire était son meilleur atout avec ses jambes. Elle n'en abusait pas, au contraire de ces femmes qui s'efforcent de plaire en gardant un éternel sourire. Le sien demeurait rare, éclairait soudain son visage sombre, lui donnait un charme surprenant, un peu sauvage.

— Non, Monsieur, tout s'est bien passé.

Sachant que cela lui plairait, elle ajouta que les formalités lui étaient apparues légères : l'attente à l'enregistrement dans la bonne humeur, la délivrance de la carte d'embarquement reçue comme une récompense, le passage de la sécurité effectué comme un jeu. Elle avait traversé tous ces obstacles sur un petit nuage.

Hubert esquissa un sourire de contentement en lui tapotant le bras « très bien, très bien… ». Inutile de s'attarder davantage, il devait passer aux choses sérieuses.

— Nous atterrirons donc à Genève et de là une voiture avec chauffeur, mise à notre disposition par notre client nous amènera à Vevey qui se trouve à une soixantaine de kilomètres, au bout du lac Léman, à l'opposé de Genève. C'est une destination de luxe. La vraie richesse qui ne s'étale pas et demeure discrète. Beaucoup de célébrités y ont séjourné. Charlie Chaplin y a vécu. Il est même mort à Vevey une nuit de Noël, en 1977, je crois.

À Vevey se trouve également le siège de Milknes. Ceci nous concerne tout particulièrement. Nous cherchons à obtenir de cette multinationale l'attribution d'un marché pour concevoir et gérer un programme de coaching destiné à ses nouveaux collaborateurs. Sachant que son Centre de Recrutement engage chaque année environ 700 personnes c'est un marché, renouvelable par tacite reconduction, qui devrait dépasser le million d'euros par an. Vous représentez une carte maîtresse pour relever ce défi… Vous comprenez, Martine, que l'enjeu est de taille pour l'avenir de la boîte.

— C'est une grande responsabilité que vous me donnez là, j'espère que je ne vous décevrai pas.

— J'ai confiance en vous. Vous serez à la hauteur. Primo, vous connaissez bien votre affaire, vous avez potassé suffisamment ce dossier, vous êtes capable de le défendre avec talent. Secundo, votre pouvoir de séduction devrait faire la différence avec nos concurrents et emporter la décision.

— Merci pour la séduction, mais c'est un peu impressionnant tout de même. Je réalise que je n'ai pas droit à l'échec.

Hubert la fixa de ses yeux grands ouverts devenus noirs, son visage avait pris une expression dure qu'elle ne lui connaissait pas.

— Vous avez vu juste Martine, c'est un peu quitte ou double pour vous. Si nous réussissons à décrocher le marché, je vous promets un avancement rapide. Par contre en cas d'échec vous resterez à un poste subalterne.

… Petit geste balai de la main pour en signifier la médiocrité.

Hubert continuait de la dévisager, désireux de connaître l'effet produit par cette menace. Gênée, elle baissa les yeux et tourna la tête vers le hublot, sans rien répondre. Elle plongea son regard dans le ciel bleu ouaté. Bercé par le ronronnement du moteur, son esprit se reposa sur les grands nuages blancs qui glissaient sous les ailes de l'avion.

Quand elle se retourna vers lui, elle s'était ressaisie et parvint à dessiner son large sourire.

Il continua :

— Martine, je vous ai fait jusqu'ici les compliments que vous méritiez sur votre travail et votre personne mais, à la veille de cette nouvelle étape, je me dois de vous montrer les points qui restent à améliorer. Vous conservez une attitude un peu crispée. Abandonner cette retenue vous permettrait de capter toute la lumière sur vous.

Elle le regarda, les yeux remplis d'une interrogation craintive et soumise qui fit monter en lui une vague de plaisir. Du coup, il retrouva son air badin, l'œil se promenant sur les longues jambes de Martine que la petite robe en cuir noir découvrait assez haut sur les cuisses.

— Ne craignez rien, vous avez la chance avec moi d'être entre de bonnes mains. Je vous l'ai déjà dit, je n'aime rien tant que de sculpter une personnalité, dans la mesure où celle-ci est prometteuse bien évidemment.

Cette dernière précision fut ponctuée d'un petit rire.

L'avion amorçait sa descente sur Genève. Il fallait attacher les ceintures et écouter le commandant de bord faire son petit discours. Hubert eut le temps de préciser qu'il avait prévu de déjeuner avec elle. Il avait des choses importantes à lui dire. Ils ne devaient rencontrer les dirigeants de la multinationale que demain à 16 h ce qui leur laisserait un peu de temps pour se préparer.

14

Pour ce premier jour, le repas était prévu dans la suite qu'il avait réservée à l'hôtel, en raison du caractère intime et confidentiel de leur conversation. Juste une petite collation en toute légèreté, à partir d'une cuisine de marché équilibrée mais créative. Vous allez aimer j'en suis sûr.

Un caneton aux morilles venait d'être servi accompagné d'un vin d'un grand cru du Valais. Après l'avoir fait tourner dans un grand verre qu'il tenait cérémonieusement par le pied, Hubert l'avait examiné, humé puis goûté avec délectation avant de décréter que les vins Suisse, sans fioriture mais avec du caractère méritaient d'être connus.

— Votre chambre vous convient-elle ?

— Oui, il faudrait être difficile pour ne pas l'apprécier, un pur bonheur, douillette dans un lieu privilégié. J'ai trouvé des robes dans des housses transparentes sur mon lit, je suppose que c'est une erreur de la part de la Direction de l'hôtel.

— Non, elles sont à vous. Il y en a une pour chaque jour. Elles vous sont offertes par le CMSE, c'est moi qui les ai choisies pour que vous soyez irrésistible.

Vous avez remarqué que votre chambre est à côté de la mienne. J'espère que vous n'y voyez pas d'inconvénient. J'aime que mes proches collaborateurs soient à proximité, même la nuit, car il peut arriver qu'une idée survienne que je dois immédiatement communiquer pour la partager et en discuter. Les meilleures idées naissent la nuit et il serait dommage qu'elles disparaissent. Pour moi, il n'y a pas de barrière entre vie privée et professionnelle. Le repos et le loisir se mêlent au travail. Le travail est un loisir et le loisir exige du travail.

Elle en profita pour l'interroger sur son emploi du temps et sur sa passion des poissons qui devait l'accaparer. « Pas du tout, l'observation de leur chorégraphie et leur aptitude à rencontrer et esquiver leurs congénères m'apportent la fluidité et l'intuition indispensables dans la conduite de mes affaires. Regarder vivre les poissons me fait gagner de l'argent. C'est une illustration de ce que je vous disais à l'instant sur l'union du travail et du loisir. Vous me suivez ? » Martine acquiesça.

Passionné par son sujet, il partit sur un discours autour de son poisson combattant, espèce rare qui n'aimait pas cohabiter, ni avec les autres combattants ni avec les femelles.

« J'espère que ce n'est pas votre cas ? » Cette question de Martine le fit sourire, il s'amusa de cette impertinence qu'il ne lui connaissait pas.

— Non, rassurez-vous, encore que ma relation aux femmes soit exigeante et sans commune mesure avec les comportements habituels. Je désire qu'une femme soit en mesure de s'abandonner, sans retenue aucune. Cette participation à caractère mystique, nécessite qu'elle prenne le plus grand soin à écarter de sa personne toute vulgarité et toute sentimentalité mièvre, l'une et l'autre me la rendraient répugnante. Connaissez-vous le peintre Gustave Moreau ?

— Pas vraiment. Je sais qu'il y a un musée à son nom à Paris.

— Oui, c'est exact. Ce musée se trouve dans l'ancien atelier de ce peintre symboliste. J'ai plaisir à m'y rendre quand mon emploi du temps me le permet. Les visages et les poses de ces nymphes dégagent un climat à la fois sensuel et mystique. Savez-vous que c'est extrêmement rare de rencontrer une femme qui soit à la fois sensuelle et mystique ?

— Certainement.

— Je crois que vous pourriez être cette femme. La nature vous a dotée d'un visage et d'un corps susceptibles de procurer ces sortes de visions envoûtantes, pour peu que votre esprit soit suffisamment libéré pour leur conférer la grâce de l'abandon.

Martine était songeuse, peut-être s'efforçait-elle de visionner dans sa tête les femmes féériques de Gustave Moreau ?

Hubert la sortit de sa contemplation :

— Attention Martine ne vous méprenez pas. Je vous parle ici de l'attitude que vous devez développer à mon égard mais, dans les rapports que vous aurez avec nos clients n'oubliez pas de les soumettre à des impulsions érotiques répétées qui soient plus manifestes et moins languissantes. C'est facile avec les hommes, d'autant que vous serez aidée par les décolletés et les robes moulantes dont vous disposez. Les hommes érotisés perdent la tête et sont plus enclins à accepter nos propositions. Dieu merci ce sont des hommes qui sont aux commandes chez Milknes.

Vous conserverez en même temps une réserve de bon aloi qui sied à une cadre de la Direction, ce qui ne manquera pas de les attirer. C'est très important pour nous donner un avantage par rapport à nos concurrents. Il arrive que ces derniers fassent maladroitement appel à des sites d'escorte pour leur fournir un accompagnement galant mais ça se voit tout de suite et, en Suisse, où l'on est particulièrement soucieux des apparences, ce n'est pas très apprécié.

Par la grande baie vitrée, on apercevait le lac. Un pâle soleil jouait avec la brume au-dessus de l'eau.

Ce palace, face au Léman, avait belle allure. Un portier capé rouge sur livrée noire à boutons dorés les avait accueillis, la casquette à la main. Ils avaient traversé le grand hall aux lustres de cristal illuminés. « Bonjour, Monsieur Hamlet, nous sommes heureux de vous revoir », Hubert avait expliqué à Martine qu'il était déjà venu « pour préparer le terrain ». Sous la conduite du porteur, ils avaient suivi un couloir interminable, silencieux et feutré.

Elle avait bénéficié à son arrivée d'un bain relaxant aux bourgeons de sapin, suivi d'un massage vitalité à l'huile de marmotte. « Il faut que nous prenions soin de notre joker », avait plaisanté Hubert.

Pendant ce temps, il avait rendu visite à son avocat genevois, venu à Vevey pour être l'intermédiaire chargé de faciliter la conclusion du marché.

Martine se sentait en forme à la suite des soins de bien-être qui lui avaient été prodigués. En même temps, un sentiment étrange la traversait. La personnalité d'Hubert l'inquiétait tout en l'attirant. Cette fascination renforçait en elle l'impression de vivre dans l'irréalité, au milieu d'un décor imaginaire.

Elle avait pénétré dans un monde merveilleux et inconnu. Ce palace, entouré d'un lac, n'était-il pas habité par des puissances maléfiques ? Dans les contes, les princesses rencontrent de bonnes fées mais aussi des loups ou des ogres. Elle craignait que cette douceur de vivre ne soit trompeuse, que ce lac trop calme ne dissimule dans ses profondeurs quelques créatures monstrueuses. Un sentiment de malaise l'habitait comme si elle s'était réincarnée dans un conte.

À cent pas du château, tout passant se trouvait figé sur place et il ne pouvait repartir que si le sorcier le voulait bien.[1]

Le garçon, tout de noir vêtu, avec nœud papillon et gants blancs de magicien, officiait silencieusement autour d'elle.

Elle chassa ces idées bizarres pour écouter attentivement Hubert qui se mit soudain à la tutoyer.

— Je reviens sur cette retenue qui entrave le pouvoir de séduction que tu possèdes. Je crois qu'il t'a manqué de faire comme moi du naturisme. Marcher nue te délivrera du poids de tes pensées, te donnera cette allure souple et princière que réclament tes jambes au galbe parfait. Tu dois te sentir unifier corps et esprit. Tu vas essayer d'y parvenir en écartant toute fausse pudeur.

Ses yeux agrandis fixaient maintenant Martine avec intensité. Il parlait d'une voix rauque et fervente.

---

[1] Jorinde et Joringel. Contes de Grimm.

— Ce que je recherche c'est l'éclosion. L'instant où tu te lâches, où tu t'abandonnes, où tu n'es plus toi. Tu dois devenir une offrande.

En prononçant ces mots, il tendit les bras vers le ciel. Table, couverts et victuailles disparurent comme par enchantement avec le garçon magicien.

Ils étaient seuls maintenant assis l'un en face de l'autre.

Sans dire un mot, il ouvrit ses mains. Tremblante et docile, elle vint poser ses mains sur les siennes. L'attente se prolongea. Hubert laissait son énergie passer en elle, la parcourir et le lien entre eux se resserrer. Il avait rapproché son visage du sien et tenait Martine sous son regard comme une proie.

Gênée, elle détourna les yeux, ce qui lui valut un sec rappel à l'ordre :

— Ne me quitte pas des yeux ! Concentre ton regard sur mon troisième œil, entre mes sourcils… N'oublie pas que désormais nous ne faisons plus qu'un… Tu vas pouvoir te laisser aller dans un état calme et paisible… Prends le temps de savourer ce moment de paix qui te pénètre… Je t'invite maintenant à descendre un escalier… Ne crains rien, je t'accompagne.

Le ton uniforme de sa voix, qui savait se faire lente, calme, rassurante, lui rappelait la petite fille qu'elle avait été quand son père la prenait par la main pour descendre à la cave.

— Tu descends une à une les marches de l'escalier. Cette descente dans tes profondeurs de ton être te libère. Tu abandonnes ce contrôle sur ton corps qui le mortifiait. Il va revivre. Tu sens qu'il n'est plus replié sur lui-même. Il se libère petit à petit du carcan qui l'enserrait comme un animal qui fait sa mue. Respire. Laisse-le vivre. Tu continues de descendre l'escalier hypnotique. En bas se trouve une porte, c'est la porte de l'extase. Pousse la porte. Voilà. Maintenant, tu es prête. Tu vas pouvoir regagner ta chambre.

Hubert se leva et lui énonça le protocole à respecter pour se préparer.

15

Dans sa chambre, elle quitta ses vêtements un à un, prit le temps de faire couler l'eau tiède sur son corps pour se sentir purifiée.

Elle enfila son peignoir blanc et revint dans la suite en marchant lentement, attentive à dérouler le pied, à conserver un port de reine en imaginant qu'elle était coiffée d'une couronne.

Arrivée devant la baie vitrée, elle dénoua la ceinture du peignoir qu'elle fit glisser à ses pieds d'un petit mouvement d'épaule.

À l'idée d'être exposée nue, elle frissonna, jeta un œil apeuré à droite et à gauche sans dire un mot, le protocole le lui interdisait.

« Ne crains rien, seul le lac te regarde. »

Elle ne vit pas ce petit clignotant du smartphone d'Hubert posé sur la commode qui la lorgnait.

Elle avait ramené les bras devant elle.

« Non, tu mets tes mains derrière le dos, s'il te plaît, et tu te redresses en pointant tes seins orgueilleux vers le lac. »

À cet instant, elle se demanda ce qu'elle faisait là, mais il était trop tard pour abandonner, il fallait aller jusqu'au bout.

« Mets-toi à genoux. »

Elle obéit. Elle regarda devant elle les montagnes dont les cimes enneigées dominaient les eaux noires du Léman qui venaient mourir à leur pied. Elle se voyait en même temps, masse sombre des poils du pubis et seins héroïquement tendus.

« Tu vas demeurer ainsi sans abandonner la pose. Tu es devenue une divinité mystérieuse et impénétrable, figée en une offrande infinie. »

Elle garda les yeux mi-clos dans une attente à la fois triomphante et humiliée. Au début, elle sentit la douleur de ses membres raidis, puis, peu à peu, elle s'abandonna, vaincue comme si on lui avait jeté un sort.

Elle perdit toute notion du temps.

Dans un engourdissement méditatif qui se prolongea, un sentiment de soumission apaisée l'avait envahi.

Au bout d'un temps indéterminé, elle sentit un souffle sur sa nuque.

Ce souffle s'accompagna d'effleurements à peine perceptibles tant ils étaient délicats. Comme ils persistaient, elle se retourna et se retrouva avec un sexe dans sa bouche. Le choc causé par cette érection, par ce sexe qu'elle sentait grossir en pleine bouche, lui procura une sensation d'étouffement. Elle entendit la voix d'Hubert.

« Tu as bien mérité de le connaître, mon petit poisson rouge, je te l'avais promis depuis longtemps. »

Sébastien ne l'avait pas habituée à cette pratique. Peu expérimentée, elle se contenta de le sucer avec application, à petits coups réguliers, yeux fermés, comme l'aurait fait une écolière avec un sucre d'orge. Il faut croire que cette manière candide ne déplut pas à Hubert qui ne tarda pas à se retirer pour éjaculer avec un grand cri sur les seins de Martine.

Il s'empara du peignoir dont il la revêtit. « Laisse sécher mon fluide sur toi pour qu'il t'ensemence en pénétrant dans ta peau »

Il alluma une cigarette et en tira des bouffées satisfaites en tournant autour de Martine qui grelottait, blottie dans son peignoir. Il était nu mais se déplaçait avec l'aisance d'un naturiste averti, laissant sans aucune gêne sa petite queue de poisson ballotter entre ses cuisses.

« Ma sève est montée en moi jusqu'à toi et tu en es baignée, ce qui sacre ton appartenance. Je vais te faire une confidence, tu as réussi à me faire bander ce qui arrive rarement. Les femmes ne comprennent pas, dans leur vulgarité stupide, que j'ai besoin de voir le corps féminin, de le contempler dans une vision féerique façonnée par moi. Il ne suffit pas d'écarter les jambes, une relation de ce type demeure bestiale. Pour jouir, j'ai besoin de nourrir mes sens de la beauté soumise de la femme dans une implication de tout son être. »

Joringel regarda Jorinde. Elle était devenue rossignol et faisait des trilles. Une chouette aux yeux de braise vola par trois fois autour d'elle. Le soleil avait disparu ; la chouette vola vers les broussailles et tout de suite après, une vieille femme bossue en sortit... En grognant, elle saisit le rossignol et l'emmena, posé sur sa main. Joringel ne pouvait rien dire, ne pouvait pas bouger et le rossignol n'était plus là.[2]

Le soir, la Direction de Milknes organisait, dans les salons de l'Hôtel des Trois Couronnes, une réception pour rencontrer et faire connaissance, avant les réunions techniques du lendemain, avec les représentants des trois cabinets de consultants qui étaient en concurrence pour l'attribution du marché de formation et coaching.

---

[2] *Jorinde et Joringel*, Contes de Grimm.

16

Chaque matin, je prends le RER pour me rendre à la Défense. Personne ne m'y attend. Pourtant j'y retourne, par automatisme. Faire semblant de travailler, faire semblant d'exister, faire semblant de vivre tout simplement. Aux yeux des autres : femme, enfants, voisins… ou à mes propres yeux pour pouvoir me regarder sans honte dans la glace ? Ne pas abandonner, ne pas couler. Cette malédiction prononcée par Martine me poursuit : *Je ne le supporterai pas, la séparation sera inévitable, on vendra l'appartement et tu resteras seul. Je te vois bien finir SDF comme beaucoup de paumés de ton espèce.*

Et puis je suis payé, à ne rien faire certes, mais tout de même payé. Informé de mon absence, Hubert ne manquerait pas de me chercher, pris d'un besoin soudain de mes services. Je l'imagine qui m'examine étrangement comme un poisson contaminé : *Vous avez un problème Sébastien* ? Leroy, le délégué syndical me l'a rappelé : une absence injustifiée constituerait une faute lourde qui me priverait de toute indemnité. Pour éviter ce risque, je pourrais être en arrêt maladie, mon médecin m'a proposé de me faire un certificat médical, mais je crains d'y rester dans la maladie.

Hier, j'ai rencontré Serge Leroy, il a l'allure d'un républicain IIIe République avec sa barbe noire très fournie, pas conforme au profil maison, ce qui n'était pas pour me déplaire.

Pour lui, l'isolement mis en place autour de moi était parfaitement symptomatique du harcèlement moral. Exclure et provoquer la mort sociale, tel est l'objectif du harceleur.

En outre, la dégradation subite de ma situation sans cause réelle et sérieuse, alors que j'avais bénéficié jusqu'ici d'une promotion rapide, constituait un abus caractérisé. Leroy m'a précisé que le harcèlement était devenu un délit sanctionné pénalement, ce qui me permettrait de déposer plainte contre Hubert plutôt que de me contenter de poursuivre l'employeur aux Prud'hommes. L'avantage c'est de le toucher personnellement.

Il m'engageait à garder trace de tout, à établir par écrit une chronologie minutieuse de mon parcours avec des dates, à rechercher des témoignages. Il ne fallait pas démissionner, il fallait tenir. La DRH finirait bien par me licencier ou mieux par me proposer une rupture conventionnelle, dans les deux cas vous toucheriez une indemnité. En attendant, il faut vous accrocher et tenir bon pour ne pas perdre vos droits.

Je lui ai fait part de mes craintes :

— Derrière la DRH, c'est Hubert Hamlet, j'ignore quelles sont ses intentions réelles, je crains de ne pas voir prochainement le bout du tunnel. Alors, tenir ? Jusqu'à quand ? Je ne suis pas certain d'y parvenir, je suis au bout du rouleau, surtout depuis qu'il a réussi à mettre ma femme de son côté, je ne trouve plus aucun réconfort chez moi, bien au contraire.

Il m'a regardé en fronçant les sourcils, manifestement désemparé par cet aveu sur ma situation personnelle. Il ne m'a pas posé de questions sur ce sujet qui débordait du cadre juridique. Il a évité d'approfondir l'aspect vie privée. Il était manifestement gêné.

— Il me semble qu'il existe une jurisprudence qui permettrait de démissionner sans perdre vos droits en écrivant en recommandé avec AR que vous avez dû le faire pour préserver votre santé. Il faut que je voie avec l'avocat du syndicat. Bien entendu, il serait nécessaire de produire des constations médicales circonstanciées…

Il se lissa la barbe et plissa les yeux, signe d'une grande perplexité.

— Vous reviendrez me voir quand vous aurez constitué votre dossier. Votre cas est compliqué car nous sommes en présence d'un manager particulièrement retors qui se cache derrière une apparente bienveillance. Il pourrait prétendre vous conserver ainsi au sein de l'entreprise par humanité, pour vous ménager. Nous savons qu'Hubert Hamlet n'hésite pas à prôner l'application d'un code de déontologie dans les entreprises, pour se donner l'image d'un patron ouvert, promoteur d'un nouveau management.

Cette formulation fut ponctuée d'un petit rire qui fit tressauter sa barbe.

Dans mon RER, je somnole après une mauvaise nuit. Je suis sorti de ma torpeur par *un Grenada, grenada…* intempestif et tonitruant. Le ténor chante à pleins poumons pour couvrir le bruit, accompagné par des accords de guitare plaqués avec force, sans se départir d'un large sourire satisfait. Vient la quête. À défaut d'avoir une pièce, il me commande un sourire, « ça ne coûte rien ». Si mon vieux, ça me coûte, tu m'empêches de m'abandonner au rythme de la rame qui me calme, qui empêche le tourbillon de mes pensées de venir me poursuivre. Autour de moi, je vois que les autres voyageurs font aussi la gueule. Ceux qui sont connectés tentent de s'échapper. Miracle, j'en ai même vu un qui souriait, à qui ? Pas à son voisin. Moi aussi, du temps où je me croyais important, je parlais et pianotais sur mon portable. Je suis maintenant passé du côté des déconnectés.

Une femme me regarde pensivement en attaquant un énorme sandwich. Second miracle, la femme au sandwich a disparu ainsi que tous les passagers autour de moi. J'en connais rapidement la raison : une odeur nauséabonde causée par la présence d'une clocharde me fait déménager en même temps qu'elle me rassure, ma tête n'est pas à l'origine de ce grand vide.

Dans les couloirs de *la Grande Arche,* je me surprends à marcher à petits pas comme un vieux, moi qui n'aurai que 40 ans le mois prochain. Avant, je faisais partie des gens pressés et je pestais de piétiner derrière ces voyageurs sortis d'on ne sait où. Aujourd'hui, je suis devenu à mon tour un bois mort qui flotte dans le courant. La foule le contourne à droite, à gauche, je regarde abasourdi les mille-pattes des collants qui courent devant moi.

Arrivé dans mon *bureau,* je me suis assis, la tête entre les mains, pour préparer mon emploi du temps, afin de traverser ma journée à partir de l'enseignement de Laborit dispensé par mon ami Nakache.

À mon grand étonnement, le téléphone se mit à sonner.

L'existence de mes enfants se rappelait à mon souvenir par la voix de mon beau-père.

— Bonjour, Sébastien, je vous appelle en l'absence de ma fille au sujet de Benjamin. Il est invité demain par la maman du petit Donatien pour un anniversaire. C'est pour toute la journée alors j'ai besoin de votre accord.

— Oui, oui, nous connaissons les parents, il n'y a pas lieu de vous inquiéter.

— Bon, ça va vous ? Ma fille m'a dit que vous étiez complètement débordé.

— Oui, oui, c'est un pic de travail en ce moment. J'ai des dossiers par-dessus la tête, dis-je en regardant ma table vide. Je vous remercie de vous occuper des enfants.

— C'est tout naturel, voyons, maintenant que nous sommes à la retraite, nous pouvons rendre service. Heureusement que ce n'était pas le mois prochain où nous devons partir au Guatemala… Vous savez j'ai eu beaucoup de mal à vous joindre, ils ne trouvaient pas votre numéro, c'est étonnant.

— Non, ça ne m'étonne pas, le service est en plein déménagement.

— Bon, je vous laisse travailler, bon courage Sébastien.

En raccrochant, je fis le constat que je n'assumai même plus mon rôle de père. En réalité, je n'étais plus ni père, ni mari, ni travailleur. Leroy avait parlé de mort sociale. Elle était arrivée. Je n'étais plus rien, ça n'empêchait d'ailleurs pas le monde de tourner, il s'en fout le monde.

Mort sociale ? Mort sociale ? Et si c'était ma mort, tout court qu'il voulait, l'autre, le maléfique ?

Je me demandai si je n'allais pas trop loin, si ma solitude et mon mental perturbé ne me jouaient pas des tours. Je ne pouvais parler de cette peur à personne par crainte de passer pour parano. Je savais que pour éviter un plan social, certains dirigeants avaient recours à un harcèlement moral stratégique afin de faire partir les éléments supposés plomber la marche de l'entreprise. « On n'en a pas pour notre avoine », avait dit le DRH, à un salarié de CMSE lors d'un entretien. Au départ, j'ai cru qu'il en serait ainsi pour moi. Leroy et Nakache aussi raisonnaient selon ce même schéma. Je percevais que les objectifs de HH pouvaient être différents. J'avais entendu parler de la méthode habituelle qui consistait à donner au salarié des objectifs irréalisables, de le critiquer systématiquement et, lors d'une rencontre d'évaluation, de considérer ses résultats comme insuffisants. Je voyais bien que HH avait adopté à mon égard une voie différente, celle du mépris. Je n'existais plus à ses yeux. Il m'avait même refusé un entretien d'évaluation « pas la peine, on vous connaît ». Je me suis rappelé que lorsque j'avais forcé la porte de son bureau pour le voir, il m'avait annoncé une décision à son retour. Je m'attendais au pire sans savoir en quoi consisterait ce pire…

Il n'y aurait peut-être rien, façon de continuer à me faire mariner. Vous savez le jeu du chat et de la souris, le régal du chat étant de la voir gigoter avant de crever entre ses pattes, à moins que je ne sois un poisson pris à l'hameçon en train de s'agiter indéfiniment au bout de sa ligne, sous son regard. Il restera longtemps au bout de la ligne , jusqu'à… jusqu'à… ce que mort s'ensuive ?

En même temps, Martine s'éloignait de moi de plus en plus. Au début, c'était une fissure, courante dans des couples usés l'un par l'autre par quinze années de mariage, mais les manœuvres de HH avait élargie cette fissure jusqu'à en faire une crevasse béante, aujourd'hui infranchissable.

Je ne devais pas me faire d'illusions, Nakache m'avait prévenu, elle avait dû se faire sauter en Suisse. Je préfère ne plus y penser, ça me fait mal. Il est loin le temps où nous dansions enlacés, joue contre joue, sur la musique du *Golden Gate Quartet.* Martine, tu étais timide et romantique. Tu es devenue avide et ambitieuse. Est-il possible que j'aie vécu quinze années auprès de toi sans te connaître ? C'est terrifiant de penser à tout ce temps de ma vie perdue avec une inconnue.

Ne pas m'enfoncer. Je ne veux pas être un poisson à la dérive qui ne sait plus nager. Il faut fuir. Je reprends ma réflexion du début, quand je suis arrivé au bureau, sur l'évitement conseillé par Laborit. Je vais chercher une femme pour ne pas penser à la mienne. Je n'ai pas touché une femme depuis longtemps. Je ne suis pas sûr d'en avoir encore envie. Nakache m'a dit que c'était malsain de demeurer ainsi dans l'abstinence.

Tiens, à propos j'en ai rencontré une de femme, hier, ici, dans mon petit bocal. Elle venait faire le ménage. C'était ma voisine d'en face, Anne, celle qui vivait avec un petit pékinois. Sur le balcon, elle faisait plus jeune, peut-être à cause de sa jupette. Je l'ai vu entrer, grande aux gestes précis, les traits marqués d'une femme qui n'avait pas eu une vie facile, les cheveux grisonnants dépassant de son foulard. Étonnée de me voir dans cette pièce qui d'ordinaire était vide, elle a vite compris que j'étais dans un placard, ça ne l'a pas étonnée.

— Avec HH, il faut s'attendre à tout, je suis payée pour le savoir. Soit disant parce que j'avais causé la mort d'un de ses poissons, je me suis retrouvée au service entretien. Il m'a dit avec un grand sourire que « technicienne de surface » était un travail ingrat mais qu'il n'avait pas autre chose à me proposer. Il a été surpris de me voir accepter. Vous comprenez monsieur Masson, je m'en fous de faire des ménages, il ne me reste plus qu'un an avant la retraite alors…

Chez moi, j'ai ressenti le besoin d'être en possession de mon revolver. Le toucher, le soupeser pour en sentir le poids dans ma main m'apportait un réconfort, une assurance.

Je ne l'ai pas trouvé dans le tiroir de mon bureau où je l'avais rangé. J'ai regardé également dans le carton à chapeaux où je l'avais caché autrefois. Je l'ai cherché en vain toute la nuit.

Il avait disparu.

17

Le salon illuminé de blanc et d'or de l'hôtel des Trois Couronnes, palace légendaire de Vevey, était bruissant d'invités qui s'affairaient autour du buffet.

À l'entrée, un huissier en livrée noire à boutons dorés me présenta à voix haute aux responsables de Milknes alignés en rang d'oignons pour recevoir les participants à l'appel d'offres : « Martine Masson, Attachée à la Direction de CMSE ».

Attachée, n'était pas un vain mot, tant il est vrai qu'une laisse invisible me tirait derrière mon maître. Lui, il se déplaçait avec aisance, serrant les mains en souriant avec une parole et une petite tape sur le bras pour chacun. Les hommes me regardaient avec curiosité. J'eus peur de leur donner l'image d'une petite chienne intimidée découvrant un monde inconnu. Honteuse, je me ressaisis, me redressai. Attentive à suivre les enseignements de mon professeur, je m'appliquai à maintenir un port de tête royal et à dérouler une démarche de mannequin. Je devais m'imposer au regard d'autrui , pour ne pas me retrouver sur la touche. Hubert m'avait bien fait comprendre que je n'avais pas droit à l'échec, sous peine de redescendre au niveau zéro de la hiérarchie ou pire encore d'être renvoyée à ma condition de mère au foyer. Penser à une telle éventualité m'était insupportable.

Un coup d'œil vers les femmes présentes me rassura. Elles étaient peu nombreuses. Deux assistantes communication plutôt insignifiantes, l'une faisait tourbillonner sa jupe en riant aux éclats sans retenue, l'autre demeurait cramponnée à son smartphone, les yeux dans le vague. Une troisième femme plus âgée, nantie d'un postérieur proéminent, exposait à des responsables de Milknes ses concepts novateurs. Pas belle mais redoutable, cette Ines Labraoui, à en juger par le sourire méprisant qu'elle m'avait décoché au passage. Je compris en l'écoutant qu'elle était à la tête du capital humain d'Adventure, Conseil en management et en technologies de réputation mondiale. « Du baratin pour les pigeons », ricana Hubert en s'approchant. Il me prévint que cette société était favorite pour l'attribution du marché et qu'il faudrait surveiller mes propos en présence de Labraoui. Elle colportait les moindres ragots et ne s'embarrassait d'aucun scrupule pour l'emporter.

Il se recula un peu pour mieux m'examiner avant de déclarer : « Ma chère, vous êtes la plus belle de ce royaume ». Tendue comme je l'étais ce compliment venait à point pour me donner un regain de confiance. Ma silhouette longiligne, mise en valeur par la robe bustier en fourreau Saint Laurent, choisie parmi les vêtements à ma disposition, constituait un atout sur lequel je pouvais compter. Le contact de mes longs cheveux noirs qui retombaient en mèches folles sur mes épaules nues me rassurait également. Confiante, j'ai respiré avec délectation mon parfum composé de fragrances troublantes.

« En vous voyant, Madame, je comprends parfaitement cette parole de Dostoïevski : la beauté sauvera le monde », déclara avec quelque emphase Chapelier de Ribes le Directeur Marketing de Milknes. Rapide et sautillant avec de grandes oreilles, il avait tout d'un lapin, qui plus est d'un chaud lapin à en juger par ses yeux qui se portaient avec insistance sur l'échancrure de ma robe. Il se précipita vers le buffet pour m'offrir une coupe de champagne, du Laurent Perrier, excellent millésime.

Curieux, il cherchait à en savoir plus sur ma carrière et ma position chez CMSE. Fort opportunément, quelqu'un vint nous interrompre.

Un petit homme, Ignace Vermorel, responsable du recrutement, m'aborda alors pour me confier qu'il jugeait de la plus haute importance d'écouter les femmes aujourd'hui.

Ce n'était pas une parole pour me faire plaisir mais une conviction, me dit-il sans cesser de grignoter des toasts de tomates mozzarella. Il me fit part de son désir de mettre sur pied des séminaires de motivation afin de booster au plus vite les performances des nouveaux collaborateurs. Je lui assurai que CMSE avait une certaine expertise en la matière après avoir organisé des séminaires de ce genre un peu partout dans le monde… Peine perdue, il ignorait mes propos, occupé à grignoter et à continuer de dérouler son discours. Je me contentai donc de l'écouter en simulant un profond intérêt tout en engloutissant les petits macarons qui circulaient à ma portée. Amusée, je décidai, en moi-même, d'appeler mon petit homme monsieur Souris. Satisfaite de ma trouvaille, je pris une autre coupe de Laurent-Perrier pour faire passer les macarons.

Apercevant Ines Labraoui qui, telle une tortue traînant sa carapace, se dirigeait vers moi avec un sourire plein de sous-entendus, je pris rapidement congé de Souris pour tomber sur Hubert en grande conversation. Dans ma précipitation, je manquai de renverser son verre. Du calme, Martine, du calme… Vous arrivez un peu vite mais au bon moment, pour vous présenter Alphonse Caméria, le DRH de Milknes. Celui-ci, après m'avoir courtoisement souhaité la bienvenue, nous expliqua, en se dandinant d'un pied sur l'autre, que le Président n'avait pas pu venir mais qu'il serait présent demain pour les auditions qui devaient avoir lieu au siège. Avec son bec en avant et son dandinement, Alphonse avait l'air d'un canard. Il nous quitta, après quelques paroles d'encouragement, pour parler avec la tortue qui m'avait suivie.

Trop de petits fours et macarons, trop de Laurent-Perrier qui m'aidait et me trahissait tout à la fois, trop de paroles qui tourbillonnaient et me donnaient le vertige. Je rêvais de me baigner dans ce lac Léman si clément qui me tendait les bras au bord de la terrasse.

Hubert m'entraîna pour me présenter à Me Gilles. « Antoine, avocat d'affaires éminent. J'ai l'habitude de travailler avec lui sur la Suisse. Sans son entremise et ses relations nous serions inexistants »

Pas mal celui-là, allure décontractée, barbe finement taillée très tendance et des yeux malins qui vous fouillent et vous devinent. Peut-être un renard ?

— Martine, permettez que je vous appelle par votre prénom, Hubert m'a tellement parlé de vous… Vous avez la chance d'être à Vevey, destination à la fois de luxe et discrète, dans cet hôtel qui a 150 ans d'âge. De l'Agha Khan à David Bowie, beaucoup de célébrités sont venues goûter à la douceur de vivre du lieu sans craindre d'être importunées. Tenez pas plus tard qu'hier, Lady Gaga attendait sur le quai un bateau pour une promenade sur le lac. Tout le monde la voyait mais personne ne la regardait. Je pris garde à ne pas la déranger. C'est elle qui est allée à ma rencontre car j'avais eu l'occasion de faire sa connaissance chez des amis communs… Antoine se montrait intarissable sur Vevey. Élégant et mondain, il connaissait beaucoup d'anecdotes sur les people qu'il avait rencontrés.

Je l'écoutais mais ce n'est pas moi qui écoutais. Drôle d'effet de se regarder vivre sur écran. Faute à Laurent-Perrier ou à la magie hypnotique dans laquelle je suis plongée depuis mon arrivée à Vevey ? Les lustres de cristal illuminés m'éblouissaient et dansaient pendant que les dorures du salon serpentaient vers moi. Mes visions prenaient la couleur dorée du champagne. Comme la veille, la frontière avec la réalité s'estompait de plus en plus jusqu'à disparaître dans ce château des merveilles.

La petite fille se montrait d'une insouciance totale, s'engageant dans le terrier du lapin sans songer un seul instant à la manière dont elle pourra en ressortir.

Elle avait fait une chute presque interminable qui l'emmenait dans un monde aux antipodes du sien. Elle va rencontrer une galerie de personnages retors et se trouver confrontée au paradoxe, à l'absurde et au bizarre.[3]

---

[3] Alice au pays des merveilles.

Un homme est venu nous rejoindre, tiré à quatre épingles dans son costume trois-pièces. Il dirigeait le département gestion de fortune, dans une banque de Genève. Hubert me regarda, je compris que j'étais de trop. Je m'écartai, le mobile aux oreilles pour me donner une contenance, tout en essayant de capter les propos qui s'échangeaient. Ils discutaient de la façon d'arroser, avec précaution et en toute discrétion… Je n'entendis pas mon patron qui parlait entre ses dents en regardant autour de lui.

Elle se trouvait prise au piège d'un monde peuplé de personnages ambigus et inquiétants, le bestiaire du Pays des merveilles.[4]

Désireux de détendre l'atmosphère, Me Gilles changea de sujet. « Et la vidéo que tu nous as promise, c'est pour quand ? Tu sais que Chapelier de Ribes y tient beaucoup » Il jeta un coup d'œil amusé dans ma direction. Hubert répondit en riant qu'il réservait la vidéo, à quelques initiés et seulement en cas de succès de son entreprise. Il envisageait également de poster des photos sur Instagram avec la hastag Instafood.

Un monde insolite et dérangeant où elle n'avait pas toutes les clés pour comprendre. Le pays des merveilles était pour Alice terriblement dépaysant. Dès son arrivée, la petite fille se retrouvait en proie à une véritable crise d'identité.[5]

Les participants commençaient à partir. Hubert devait demeurer encore quelque temps pour mettre des détails au point avec notre avocat et le banquier. Mon sourire et mon élégance avaient été appréciés. J'avais quartier libre pour ce soir avec la recommandation de ne pas me coucher trop tard car je devais présenter demain le projet CMSE devant le comité de direction.

---

[4] Idem.
[5] Idem.

Je me suis prélassée dans ma baignoire, tout le temps nécessaire à une relaxation complète, dans un bain d'algues marines. J'ai enfilé mon peignoir blanc dont j'ai noué le cordon autour de mon corps mince. De le sentir si délié et encore désirable apaisait mes inquiétudes. Devant mon miroir, je vérifiais, en passant ma crème de nuit, que j'étais toujours « la plus belle du royaume ». J'avais besoin de cet atout. Certes, mon sujet, je l'avais travaillé, mon speech, supervisé par Hubert, je le connaissais, néanmoins mon défaut d'expérience me rendait vulnérable aux questions pièges. Il est vrai que Hubert serait là mais je ne devais pas apparaître me reposer sur lui, toujours le syndrome du caniche.

Le téléphone sonna. C'était Hubert qui me demandait de l'attendre avant de me mettre au lit. Que voulait-il ? J'étais si fatiguée. Pourvu qu'il ne soit pas pris par une soudaine montée de sève…

Je frémis en le voyant. J'avais déjà eu l'occasion de m'apercevoir qu'il pouvait devenir quelqu'un d'autre. C'était le cas ce soir. Son visage était figé.

— Pas question de libertinage cette nuit. Vous attendrez. Le soir où nous aurons gagné la partie, je vous promets que ce sera votre fête. Pour le moment au travail !

Qu'est-ce que vous avez pu glaner sur les désirs de nos clients ?

— M. Souris… Oh pardon M. Vermorel, le directeur du recrutement, m'a parlé de séminaires de motivation.

— Mais non voyons, c'est dépassé, il vous a dit ça pour faire bien mais ça ne correspond pas pour eux à une véritable attente. Il vous faudra apprendre à faire parler les gens, à leur tirer les vers du nez. Me Gilles a appris de Chapelier de Ribes, notre homme dans la place, que le Président va nous interroger sur notre offre de formation aux espaces partagés or nous n'avons pas prévu de module sur le sujet.

Je vous explique rapidement car je suppose que vous ne connaissez pas ? Honteuse, j'acquiesçai.

— La révolution numérique permet avec un ordinateur ou un smartphone de travailler où que l'on soit et à n'importe quelle heure.

C'est une aubaine pour une société en plein développement comme Milknes qui n'est plus obligée de mettre un bureau à la disposition de chacun de ses salariés. Elle pourra avoir recours à des espaces collectifs partagés par plusieurs collaborateurs, d'où une réduction de ses dépenses immobilières. Pour les open-spaces, nous avons une formation présentée par Patrick Brian, mais pour le coworking nous n'avons rien. Vous allez crânement assurer que nous avons un module de prêt. Vous pigez Martine ?

— Oui, à peu près, mais quel est notre rôle dans tout ça ?

— Une formation est indispensable pour cette race de salariés nomades. Il faut qu'ils deviennent autonomes. En même temps, ils doivent se sentir reliés à leur employeur et prendre l'habitude de faire des reportings pour rendre compte à leur hiérarchie.

Hubert pointa son doigt vers moi :

— Et votre rôle à vous sera de développer tout ça. Vous enverrez un fax à Brian pour qu'il vous fasse parvenir d'urgence un résumé des solutions que nous pouvons proposer. Vous avez la nuit devant vous et la matinée de demain. Nous devons intervenir vers 16 h. Bonne nuit, Martine.

18

Une limousine noire à vitres teintées nous attend devant l'hôtel. Impériale, elle glisse sans bruit dans Vevey avant de nous arrêter devant un bâtiment de verre et d'acier à la silhouette blanche et allongée.

J'avais avalé des petites pilules blanches pour travailler tard dans la nuit sur la problématique des espaces partagés, à partir de l'étude que Brian nous avait fait parvenir. Le coworking, c'est l'obsession d'Hubert. Ce matin, il était revenu dans ma chambre pour corriger, compléter et me faire répéter les principaux passages de mon topo. Il ne me lâche plus. Il s'était également préoccupé de ma tenue, m'avait pris par les épaules, tournée et retournée comme une poupée. Sensation de ne plus exister, d'être un produit maison. Il me veut chic et sobre, tailleur-pantalon bleu marine sur chemisier blanc en soie, cheveux tirés en arrière et noués en chignon pour me donner un air plus assuré. Pour lui, la compétence exclut la frivolité, surtout en Suisse, sauf à conserver une touche de féminité en mettant des chaussures italiennes à haut talon.

Un jeune homme dans un costume tiré à quatre épingles vient nous accueillir.

Maître Gilles nous rejoint en courant, une grosse sacoche à la main. Nous pénétrons dans un univers géométrique, modèle de transparence et de pureté esthétique. Notre guide nous explique que la construction est faite de quatre matériaux nobles : béton, aluminium, verre, marbre. Nous marchons en procession silencieuse jusqu'à la cage de verre de l'ascenseur qui nous monte jusqu'à une mezzanine baignée d'une lumière douce. Nous prenons place dans des canapés et des fauteuils en cuir noir. Chacune des équipes concurrentes doit attendre dans des endroits séparés pour éviter toute tension ou animosité inutile.

Mes escarpins me torturent les pieds et une crampe m'agrippe le mollet. Je ne peux réprimer mon agitation. Je sors de mon sac mon miroir pour vérifier mon maquillage. Je crains de ne plus pouvoir articuler un mot tout à l'heure. Je fais appel à l'affirmation positive apprise de mon chaman urbain, spécialiste en psychologie énergétique : « Même si j'ai peur de ce rendez-vous, je choisis de m'y sentir à l'aise ». Ce matin, je l'ai répétée vingt fois en tapant, comme au karaté, avec le tranchant de la main, sur ma table de nuit, de manière à activer mon système parasympathique de relâchement du corps. Assise sur mon fauteuil, je visualise l'affirmation, me la répète à voix basse, pendant qu'Hubert devise avec notre avocat.

Le jeune homme bien mis est revenu, nous a invités à le suivre. L'équipe d'Adventure qui nous précédait avait laissé la place, mais Ines Labraoui traînait encore à l'entrée de la salle de comité. Elle avait réussi à accrocher le Président. Elle discutait avec lui en aparté. En professionnelle avertie, elle savait qu'au dernier moment, hors séance, peuvent s'échanger des informations et des paroles décisives. Nous avons marqué un temps d'arrêt. Hubert avait peine à dissimuler son agacement. Labraoui quitta enfin le Président en se mouvant avec lenteur. Quand elle nous vit, elle fit volte-face pour s'adresser à Hubert « Monsieur Hamlet, on se retrouve face à face. Je vous préviens si vous me faites encore une entourloupe, je le saurais et je vous aurais. Je veux un combat à la régulière. Vous voyez ce que je veux dire ? ». Là-dessus, la tortue poursuivit son chemin en ignorant ma présence et celle de l'avocat.

Ils étaient là les membres du comité de direction autour d'une grande table en verre, costume sombre sur chemise blanche et souliers effilés. Pour marquer une décontraction de bon aloi, certains étaient chemises ouvertes, d'autres avaient tombé la veste. Je reconnus les personnages de mon bestiaire de l'hôtel des Trois Couronnes. Cette image fit renaître mon sourire, ce qui me sauva d'une trop grande crispation devant ces hommes qui ne cessaient de me scruter.

Hubert prit la parole. Tout en rondeur, il exprima le plaisir qu'il avait de se trouver devant des visages amis et dans un pays qu'il connaissait bien. Il n'était pas nécessaire de présenter Me Antoine Gilles l'avocat d'affaires bien connu. Quant à moi, il fit valoir que j'étais une femme de valeur, promue chef de projet en raison de mon aptitude à imaginer des solutions opérationnelles adaptées à la stratégie de Milknes.

Durant le laïus de mon patron, je fis un petit signe de connivence à mes rencontres de la veille. MM. Souris et Canard y répondirent par un hochement de tête gêné. Par contre, M. Lapin me gratifia d'une œillade complice. Je lui avais tapé dans l'œil à celui-là, je pense qu'il me soutiendra.

Il y en a un que je ne connais pas, le Président. Il est en face de moi à l'autre bout de la table. Derrière ses grosses lunettes d'écaille sur un visage froid, il gardait un sourire figé.

Hubert rappela que CMSE était un cabinet d'études en management attaché à répondre aux attentes de ses clients. Il proposait aux entités économiques les services d'experts particulièrement qualifiés à relever le défi que représentait la mise en œuvre du plan de formation destiné à Milknes. Ils avaient pris en compte que cette société, résolument tournée vers l'avenir, respectait les valeurs humaines qui faisaient sa renommée. À ce titre, la présence d'une femme à la tête du projet constituait un atout supplémentaire. Tout naturellement, il se tourna alors vers moi pour me donner la parole.

J'avais réussi à garder le sourire et une apparente décontraction mais intérieurement le trac me dévorait. Ils étaient tous suspendus à mes lèvres, aucun son ne parvint à sortir de ma gorge. Je courais tout droit à la catastrophe… Une respiration… Par miracle, je retrouve les premiers mots de mon discours : Milknes est une société dont les Ressources humaines se doivent d'être performantes pour pénétrer un marché concurrentiel. Sauvée, j'ai attrapé la corde et je déroule sur les objectifs de mobilité imposés par la révolution numérique et les nouveaux modes de travail… J'affirme que le coaching CMSE, avant tout libérateur d'énergie, propose justement un plan de formation personnalisé et progressif qui répond à cette exigence.

Mon discours, je le connais par cœur. Je prends de l'assurance, ralentis mon débit. Pour rendre mon discours plus naturel, je fais des pauses, fais mine de réfléchir. Je schématise à l'aide de projections reliées à mon ordinateur, prends des exemples de mobilité avec des A des B… qui se croisent et s'entrecroisent dans un parcours fléché et connecté. Je n'oublie pas les moments de brainstorming nécessaires à la créativité. Ils permettent également au chef de projet ou au DRH d'évaluer l'intelligence relationnelle et la faculté de communiquer des cadres engagés avec passion dans l'expansion de leur maison.

Je crois que j'ai réussi à conquérir mon auditoire si j'en crois les mimiques encourageantes et les acquiescements de Chapelier de Ribes, mon cher Lapin.

Hubert prend le relais pour montrer que nos formations correspondent aux mutations en cours dans le monde du travail sur le plan de la mobilité. Muni d'un ordinateur ou d'un smartphone qui ne le quitte pas, le salarié nomade ou le travailleur en free-lance peut travailler en tout lieu, à n'importe quelle heure, pour assurer des services de plus en plus individualisés. C'est l'ubérisation de l'économie pontifie Vermorel, la souris de mon bestiaire. Chapelier de Ribes fait remarquer que pour Milknes la recherche des espaces partagés est une nécessité pour recevoir cette nouvelle population active.

Les offres de formation et coaching de CMSE ont bien pris en compte ce phénomène, rappelle Hubert. Afin de renforcer l'autonomie des collaborateurs, nous proposons une formation dont il définit les principes directeurs.

Alphonse Caméria, le DRH, soulève la nécessité de relier et de contrôler ce collaborateur nomade.

Hubert va fournir une réponse détaillée sur les instruments permettant de le localiser, de mesurer son temps de travail. Le rôle de contrôle de gestion devient essentiel et CMSE a mis en place une formation spécifique destinée aux gestionnaires et chefs de projet afin que le cadre demeure relié par une laisse digitale suffisamment lâche pour lui laisser le sentiment de liberté nécessaire à sa créativité.

Après de nombreuses questions posées sur les contenus et sur le coût de notre plan de formation, le Président décide de clôturer la séance. Nous devrions être fixés demain dans l'après-midi sur le résultat de l'appel d'offres.

Chapelier de Ribes fait remarquer qu'il a apprécié l'effort de CMSE de présenter des protocoles actualisés en fonction des besoins de Milknes.

La limousine noire nous attendait. Des passants, employés de Milknes ou résidents de Vevey, ralentissaient le pas pour nous regarder. Je me revois à Paris ou ailleurs, plantée parmi des badauds à dévisager, avec envie et circonspection, les visages des puissants de ce monde en train de monter dans leurs grosses voitures avec chauffeur. Sébastien et moi, nous avons dû nous accrocher pour passer du bon côté du mur. Lui était retombé bêtement du mauvais côté. Moi, je venais de réussir mon examen de passage dans le monde des privilégiés et j'entendais bien y rester. Je savourais ce moment et fis un petit signe de la main vers les passants comme à la TV. Des enfants répondirent en agitant les mains et en riant. Hubert me regarda avec réprobation. Je compris qu'il devait juger ma satisfaction prématurée et puérile. Il écoutait avec attention Me Gilles qui devait se rendre à la Financière Suisse après avoir eu un contact rapide avec Chapelier de Ribes.

À l'hôtel, Hubert offrit de m'accompagner à la piscine thermale de l'hôtel pour y recevoir les soins SPA afin d'évacuer tout ce stress qui m'engluait.

Bains d'eaux froides et chaudes se succédèrent harmonieusement, entrecoupés de massages du dos et de la nuque aux pépins de raisins et d'un massage vitalité à l'arnica sous les mains expertes d'un jeune homme appliqué. Pour terminer, il m'enroula dans des linges merveilleusement chauds. Il me laissa ensuite tout à loisir me reposer, m'étirer comme une chatte dans ce bien être de douceur et profiter de ma nudité pour aller et venir dans l'eau du grand bassin.

Assis, vêtu d'un peignoir blanc, Hubert surveillait le déroulement des opérations une coupe de champagne à la main. Il me fit signe de le rejoindre. J'évoluais vers lui, comme il me l'avait appris. J'avais la sensation de renaître, de traverser la partie lumineuse du Pays des merveilles. Hubert m'offrit de boire une gorgée. Les mains derrière le dos, les yeux fermés, j'ouvris la bouche. Le liquide pénétra délicieusement au fond de ma gorge. Il en tomba un peu à côté dont je sentis le froid glacé couler entre mes seins. « C'est un Veuve-Clicquot. Tu aimes ? … » Je fis oui de la tête. Il remplit une flûte du liquide doré qu'il me tendit. « Un peu de griserie mettra un point final à cette journée, l'ivresse des sens ce sera pour demain si nous gagnons la partie. Notre jeûne sexuel provoquera un vide dans notre corps qui aiguisera notre appétit et le plaisir de la découverte… En attendant, ne bois pas trop vite… À petites gorgées… Tu dois respecter l'élégance de cette Veuve et la jouissance qu'elle te procure. »

L'heureuse nouvelle nous a été annoncée. La candidature de CMSE était retenue. Me Gilles nous a appris que c'était aux termes d'une discussion serrée car les dirigeants penchaient pour Adventure dont les références étaient plus solides et plus anciennes. Heureusement, Chapelier de Ribes avait défendu âprement notre offre en insistant sur notre faculté d'anticiper l'avenir, ce qui représentait un facteur fondamental.

Hubert s'empressa d'informer le Président de CMSE qui l'avait félicité. En riant, j'interrogeai Hubert :

— Et moi, et moi, j'ai bien travaillé aussi. N'est-ce pas ?

— Oui, Martine. J'ai eu quelque crainte au début mais finalement vous avez sorti votre épingle du jeu. Au risque de vous décevoir, vous devez savoir que notre succès ne repose pas uniquement sur votre petit numéro. L'attribution d'un marché comme celui-là nécessite la conjonction d'une action extérieure publique et d'une action souterraine occulte.

— Ah ? Mais en quoi consiste-t-elle cette action souterraine ?

— En négociations personnelles délicates qui nécessitent beaucoup de doigté. Je ne peux vous en dire davantage, vous êtes trop jeune… Et il me tapota l'épaule en riant. Consolez-vous, des compliments, vous allez en recevoir ce soir. Me Gilles nous invite pour fêter ça, en petit comité, dans un endroit sympa qu'il connaît bien. Vous serez la reine de la soirée.

— Il n'y a pas d'autres femmes ?

— Non, les épouses de Chapelier, de Ribes et de Me Gilles ne sont pas conviées. Elles ne comprennent rien aux affaires et surtout elles sont très jalouses. Votre présence leur ferait ombrage.

19

Me Antoine Gilles est venu nous chercher au volant de sa Ferrari pour nous conduire sur les hauteurs de Vevey, dans son refuge « où je me ressource loin des soucis que je laisse à Genève ».

Près des vignobles en terrasse avec vue sur le lac, nous découvrons un chalet avec un étage bordé d'une balustrade en bois finement sculptée. « C'est très simple mais confortable. Vous pourrez y passer la nuit si vous le désirez, j'ai une chambre d'amis à l'étage. Sa conception doit tout à l'imaginaire de notre ami Hubert. Pour ce soir, un traiteur nous fera servir un repas ».

Nous pénétrons dans l'univers douillet de notre hôte. Un bon feu de bois dévore déjà les bûches et répand sa chaleur dans nos corps. Antoine vient ôter mon manteau de cuir avec délicatesse. « Vous êtes ravissante ». Son compliment n'est pas de pure forme si j'en juge par son regard. La fluidité de ma robe en soie bleu nuit signée Alexandre Vauthier met en valeur ma silhouette. Hubert l'a choisie avec moi pour cette soirée. Un coup d'œil dans la glace me renvoie une image qui n'a plus rien à voir avec celle de la mère de famille qui tournait en rond, avec Sébastien et les gosses à Champigny-sur-Marne. Je ne suis plus cette femme. J'en arrive même à douter qu'elle ait pu exister un jour.

Chapelier de Ribes n'a pas tardé à nous rejoindre. Hubert lui ouvre les bras : « Ah ! Voilà le quatrième. Un pour tous, tous pour un comme les mousquetaires ». Antoine me précise que ce soir nous ne serons que quatre. C'est une réunion entre amis, en toute intimité, sans protocole.

Sur le chambranle de la cheminée, des bergers en bois entourent un tableau de randonneurs en montagne ainsi que le portrait d'une jolie femme qui doit être l'épouse d'Antoine. Les murs sont couverts de photos en noir et blanc. Ils reproduisent des scènes de films de Charlie Chaplin : *La ruée vers l'or, Le dictateur, Un roi à New York, Les temps modernes*... « Vous savez Chaplin c'est le grand homme ici. Il est venu à Vevey quand il a été chassé des États-Unis en 1952 sous la pression du maccarthysme et il y est mort en 1977 à 88 ans » Antoine se tourne vers Hubert : « Il faut absolument que vous restiez pour visiter Chaplin's World, c'est une réussite. La propriété des Chaplin qui est près d'ici a été transformée en musée avec des images d'archives et reconstitution des appartements de la famille. » Hubert sourit : « Antoine, nous ne sommes pas des touristes, le travail nous attend à la Défense » Du coup Antoine m'invite pour les vacances « je vous présenterai à Alain Delon qui est un voisin, vous ne pouvez pas rater ça ».

Je fus dispensé de répondre grâce à l'intervention de Chapelier de Ribes qui trouvait que son ami avocat monopolisait la parole et captait un peu trop mon attention.

— Tu nous ennuies Antoine avec ton Charlot. Buvons plutôt à notre succès. Je crois que tu nous as préparé du champagne pour fêter ça ?

— Oui du Ruinart, Cuvée Spéciale et, comme j'ai remarqué que vous appréciez tous ce breuvage béni des dieux, je vous propose un repas au champagne.

Notre petit comité accepta avec enthousiasme et chacun s'installa dans les fauteuils clubs.

Chapelier de Ribes porta un toast en mon honneur « À Martine qui a permis notre victoire grâce à sa prestation et, j'avoue ne pas y avoir été insensible, à sa beauté singulière. Elle a fait la différence avec Adventure, représentée par Ines Labraoui toujours aussi moche malgré ses crèmes régénératrices et ses régimes amaigrissants. » Rires et approbations des convives.

Une serveuse apporta des plats de caviar, houmous, aubergines et autres mets variés et raffinés. Pendant qu'elle les disposait sur des tables basses, Antoine fit sauter avec désinvolture le premier bouchon.

J'avais à cœur de continuer mon parcours sans faute, particulièrement aux yeux d'Antoine qui représentait pour moi un concentré d'intelligence et de style. Quelque part, au détour d'une conversation ou d'un comportement inapproprié, mes origines modestes pouvaient me trahir. Je ne devais pas laisser cette crainte m'envahir sous peine de me transformer en potiche. Un peu d'alcool aiderait à me décoincer, surtout le champagne. Je savais d'expérience qu'il avait l'avantage de me transmettre sa grâce pétillante dans la mesure où je lui ferais confiance. Antoine vint me conforter dans mon idée en remplissant ma coupe. Il m'assura que le champagne rendait le cœur léger et exaltait l'amour.

Mes trois compères mangèrent beaucoup et burent encore plus. Chapelier de Ribes remercia Hubert pour sa vidéo. Buvant d'un trait son champagne, il ajouta que sa projection avait fait monter le désir en lui qui ne demandait maintenant qu'à s'exprimer. Antoine félicita Hubert d'avoir réussi un film érotique et poétique.

« Qu'elle est le sujet de cette vidéo, je voudrais bien la voir » Ma demande fut accueillie par un grand éclat de rire général. Hubert me tapota l'épaule avec ce même air condescendant qui m'avait exaspéré l'après-midi à propos des négociations souterraines. « C'est pas pour les jeunes filles », s'esclaffa Chapelier de Ribes en se tapant sur les cuisses.

Blessée, j'ai basculé dans la face inquiétante du Pays des merveilles. À nouveau, je me suis vue sur un écran dans le rôle d'une femme égarée dans une angoissante histoire de manipulation.

Je n'avais plus faim, en revanche j'ai persévéré dans la boisson. Le champagne viendrait à mon secours. Je vidais coupe sur coupe. Antoine et Chapelier de Ribes les remplissaient au fur et à mesure, sous l'œil amusé d'Hubert. Je suis parvenue à retrouver un semblant de gaieté et un rire, un peu trop débridé il est vrai en approchant de l'ivresse.

C'est à ce moment-là qu'Antoine amena des papiers que je devais signer. Je compris vaguement qu'il s'agissait de créer une société dans l'événementiel. J'en serais la présidente. Devant mon étonnement, Antoine m'expliqua qu'aucun des trois autres ne pouvait être nommé à la tête de cette société leurs fonctions actuelles le leur interdisaient. Hubert intervint à son tour « Rassurez-vous Martine c'est une simple formalité. Vous n'aurez rien à faire, on s'occupe de tout. Vous vous contenterez d'encaisser des royalties chaque année. Une petite enveloppe vous attend d'ailleurs déjà demain matin au petit déjeuner »

Chapelier de Ribes vint faire chorus en plaisantant « Ce n'est pas fatigant il suffit d'encaisser » et il remplit les coupes « À la santé de la présidente ! » Ma coupe était pleine. Cernée par les trois hommes, il ne me restait plus qu'à signer et à lever mon verre. Ma main tremblait et j'avais les larmes aux yeux.

Après avoir distribué les documents, Antoine s'empressa de changer de conversation. Au cours d'une randonnée dans les montagnes du Valais, il avait aperçu un loup au pelage argenté. Devant l'incrédulité générale il insista « Non je vous assure ce n'était pas un chien. Un berger que je connais m'a dit que les loups seraient de retour dans nos montagnes » Chapelier de Ribes demanda « Est-ce que tu crois qu'ils peuvent venir jusqu'ici ? » « Non, je ne pense pas mais… on ne sait jamais s'ils sont poussés par la faim » Hubert intervint « Vous vous rappelez que ce soir c'est justement la nuit des loups ? »

Antoine confirma : « Oui, c'est vrai, il existe une légende dans la région qui le dit, c'est une curieuse coïncidence. »

Ma perception des choses se modifiait, le feu se mit à flamber avec un surcroît d'intensité, je crus à un début d'incendie. De longues flammes jetaient des reflets rougeâtres dans toute la pièce, tordaient les visages qui devenaient méconnaissables, leurs lèvres s'ouvraient et se fermaient mais je n'entendais plus rien.

« Je suis fatiguée, je voudrais partir Hubert, s'il vous plaît. » Je me suis levée, mes jambes ne me portaient plus. J'ai titubé et me suis effondrée sur un canapé.

— Elle ne peut pas partir dans cet état. Il faut qu'elle dorme dans la chambre d'amis, dit Antoine.

J'ai ouvert les yeux. Ils étaient agenouillés autour de moi dans le plus grand silence comme s'ils veillaient une défunte. Le feu éclairait leurs visages de cire et laissait percevoir dans leurs yeux une flamme qui couvait. Ces veilleurs dégageaient une odeur aphrodisiaque de nature à me faire redouter le pire. Incapable de la moindre réaction, je me laissais couler dans les profondeurs de mon être avec des étirements de chatte par la grâce du champagne.

Je fus tout de même reconnaissant à Hubert de mettre fin à ce temps d'adoration qui n'avait pas lieu de s'éterniser sous peine de dégénérer.

Il déclara : « Je m'en occupe » et me prit fermement par la taille, plaça ma main sur son épaule. Portée par mon patron, nous avons monté cahin-caha, marche après marche, jusqu'à la chambre sous les yeux des deux hommes. J'imaginai leur dépit de voir leur proie s'en aller.

20

C'était une chambre étrange, faiblement éclairée par des points lumineux dissimulés et par un bougeoir déposé sur une table de nuit. Les murs étaient tendus de doubles rideaux de cachemire mauve. À part le lit et la table de nuit, la pièce n'était garnie d'aucun meuble ni d'aucun décor. Ce dépouillement surprenait après avoir quitté l'atmosphère festive du rez-de-chaussée.

J'étais pris d'une envie irrépressible de m'affaler sur le lit mais Hubert me demanda d'attendre. Je devais d'abord me mettre à l'aise et faire connaissance avec l'endroit. Comme j'avais du mal à me maintenir à la verticale, il s'offrit à me déshabiller. Il le fit avec le plus grand soin, je dirais même avec cérémonie, en prenant garde à ne pas froisser la robe de valeur que je portais. Soudain, les rideaux s'ouvrirent comme par magie.

Stupéfaite, je me découvris nue entourée de miroirs qui recouvraient tous les murs. Satisfait de ma surprise, Hubert m'annonça que j'avais le privilège de pénétrer dans la chambre à miroirs, chambre secrète réservée aux intimes. C'est lui qui était à l'origine de cette petite merveille.

Toutes les parties de mon corps se reflétaient de miroir en miroir en une suite infinie d'images. Je me raidissais sur mes jambes flageolantes pour ne pas m'effondrer. Hubert me soutenait. Il me fit faire quelques pas à la rencontre de mon reflet dans des miroirs déformants, certains convexes, d'autres concaves.

Il fixait les poils de mon pubis. Son voyeurisme ne me gênait pas tant il avait habitué mon corps à s'exposer. Je continuais à me voir dans la suite de mon film. J'avais décroché du monde réel. J'ignorais cet homme qui s'obstinait à demeurer planté devant ma nudité, fasciné par son image que le jeu des miroirs faisait gigantesque, minuscule, allongée ou tordue.

Quand il me déposa enfin dans le lit, il me recommanda de me contenter d'un court sommeil afin de l'accueillir, une fois la soirée terminée avec ses amis. Il me rappela la parabole de l'évangile sur les vierges folles et les vierges sages qui devaient veiller, car elles ne savaient ni le jour ni l'heure où leur Seigneur viendrait. Je n'entendis pas la fin, je dormais déjà.

Je ne sais ce qui me réveilla dans la nuit, peut-être le hurlement d'un loup auquel répondit mon propre hurlement. Au-dessus de moi surgit un museau long, menaçant. Des yeux aux pupilles dilatées me fixaient. Cette tête de loup se pencha vers mon visage, son corps s'allongea sur moi, sa bouche sur la mienne pour me faire taire. Mon sein toucha sa poitrine velue, l'haleine d'Hubert flotta sur mon visage.

Je tournai la tête et tentai de me dégager. Il plaqua mes poignets sur le lit. Il me tenait à sa merci, j'étais sa proie, il prit le temps d'en jouir, de se repaître de la vue de mon corps qui s'agitait.

J'avais perdu toute notion de l'heure et du lieu. Épuisée, je cessai de me battre et fermais les yeux. Être soumise, cela devrait suffire à Hubert, il n'en demanderait pas plus pour avoir du plaisir.

« C'est bien, tu acceptes. La Belle accepte la Bête. Tu as compris que j'ai besoin de mon animalité, de retourner à l'état primitif pour pouvoir me livrer au jeu de l'amour et te contenter. »

Hubert parlait à mon oreille d'une voix sourde à peine audible.

« Mais, la Bête ne veut pas que la Belle voie son visage. Le malheur t'emporterait si tu cherchais à découvrir celui qui se cache sous le masque. Laisse au secret de la nuit ton amant, il n'est qu'une illusion. Continue à fermer les yeux, les sensations doivent l'emporter sur le regard. À cette condition, tu connaîtras une jouissance inconnue de toi. »

C'est alors que je sentis une langue s'enfoncer dans mon sexe. Sans m'en rendre compte, mon bassin se souleva imperceptiblement pour accompagner les mouvements de cette langue agile. En même temps, une main venait titiller la pointe de mes seins.

Comme tu as une grande langue... Comme tu as de grandes mains... Comme tu as une grande queue...

En levant les yeux, je la vis cette grande queue dans le miroir. Je ne sais si c'était dû au rasage des poils qui l'entourait ou par l'effet du miroir grossissant mais cette queue me parut énorme... Je gémissais, je crois, jusqu'à crier de plaisir, je ne sais plus.

Dans le miroir, mon loup était plusieurs à danser une folle sarabande, il était Shiva doté de mille mains, de mille langues, de mille queues. Je sombrais dans cet univers de chimères et de jouissance.

Psyché pénètre dans le palais et y découvre un savoureux festin. Elle est servie par des personnages dont elle n'entend pas les voix. Le désir attend la nuit noire. Un être se glisse dans sa couche à la faveur de l'obscurité. Et quand Psyché, à l'aube, se réveille, son visiteur a disparu...

21

Ce sont les aboiements d'un chien qui m'ont réveillée. Je ne savais plus s'il faisait jour ou nuit, si j'étais morte ou vivante. La clarté qui filtrait à travers les interstices des volets me rassura. Quand j'ouvris la fenêtre, le soleil était déjà haut dans le ciel. Aucun bruit dans le chalet, je devais être seule. Le bougeoir éteint, les lourdes tentures de cachemire mauve tirées donnaient à la pièce un air endormi et tranquille. Les miroirs avaient disparu. La nuit du loup avait-elle réellement existé ? L'empreinte du plaisir demeurait encore dans mon corps mais je me persuadais que cette sensation devait relever du domaine de l'illusion. Je revoyais les scènes de la nuit se dérouler sur grand écran, nouvel épisode du conte du Pays des merveilles à Vevey, film muet en noir et blanc, images floues et papillonnantes, mais ce n'était pas moi, c'était une actrice qui jouait mon rôle.

Pour dissiper le malaise et tenter de revenir dans le monde réel, je devais agir. Muni de mon smartphone, je décidais de traquer la vérité, de pénétrer dans toutes les pièces, d'ouvrir tous les tiroirs, de fouiller partout, de tout voir. Mon arme à la main j'allai tout mitrailler, mais peut-on photographier un rêve ? Devant moi ne subsistait plus que le décor du film, un chalet abandonné, planté dans une nature morte. Il ne parlerait pas. Tant pis, je le ferai parler quand même. Dans les thrillers, les enquêteurs parvenaient bien à trouver des indices sur les lieux du crime. J'éprouvais le besoin de retrouver des traces de mon rêve éveillé. Un instinct de survie me commandait de le faire.

Je pris des photos de la chambre dans tous ses recoins. J'ouvris les rideaux, les miroirs se trouvaient bien derrière. Ils me renvoyèrent l'image ridicule d'une femme en train de se photographier.

Je descendis avec précaution le petit escalier de bois monté la veille dans un état d'ébriété avancé. Je demeurais aux aguets dans la crainte de voir surgir quelque animal oublié du bestiaire de Vevey. Non, manifestement ils étaient tous partis, Hubert avait certainement cru préférable de me laisser dormir. J'étais seule, abandonnée dans le chalet.

Dans la salle du bas, les volets entrouverts me permettaient de me diriger dans la demi-obscurité. Je photographiais la cheminée, le chambranle avec tous ses sujets sans oublier la photo de l'épouse bien-aimée. Connaissait-elle la chambre aux miroirs ? Aimait-elle s'y exposer avec son mari ? Ou sans lui ? Ou bien tel Barbe-Bleu en interdisait-il l'accès ? Antoine serait-il un satyre narcissique qui aimait à se contempler en train de baiser avec des nymphes de passage ? Questions sans réponse. Cette matinée ne suffirait pas pour pénétrer le mystère de ce lieu. J'avoue que j'aurais aimé en savoir davantage sur Antoine et sa garçonnière. Ce serait peut-être un jour possible, j'avais gardé en mémoire qu'il m'avait invitée pour les vacances. Pour le moment, je devais continuer à mitrailler de tous côtés pour ne rien oublier, à commencer par Charlot qui me regardait d'un air narquois sur tous les murs.

Dans la cuisine, quelques clichés rapides me suffirent, mais c'est avec plus de curiosité que je poussais la porte du cabinet de travail que je ne connaissais pas. Devant le fauteuil, la photo de deux garçons et, à nouveau, le visage confiant et souriant de Madame toujours présente. Une pile de dossiers sur le bureau, le titre du premier écrit sur la couverture en belles lettres rondes attira mon attention : *Marché Milknes*. C'était un peu le mien, celui-là, j'y avais joué un rôle, je me suis donc autorisée à le feuilleter. Il était question de virements, commissions, statuts… Sans m'appesantir sur ces montages juridiques et comptables que je ne comprenais pas, je photographiais machinalement toutes les pages à titre de souvenir.

J'avais presque terminé quand mon smartphone se mit à sonner. « Avez-vous bien dormi ? » C'était la voix suave des bons jours de mon cher patron. « Vous avez été magnifique cette nuit. Je vous envoie un taxi qui vous amènera à l'hôtel. Après une séance de travail, nous partirons pour Genève dans l'après-midi, l'avion doit décoller à 20 heures pour Roissy… » Après en avoir terminé avec le dossier, je pris quelques vues de la salle de bains. Je réalisais à ce moment-là que je n'avais pas fait ma toilette… Je vivais en dehors du temps.

À l'hôtel, Hubert m'attendait sur la terrasse dans la tenue de décontraction qu'il affectionnait : verre dans une main, cigarette dans l'autre, jambes croisées, chemise blanche largement ouverte sur son système pileux. Une boisson orangée garnie de glaçons était posée devant lui. Je lui demandais de m'accorder quelques minutes pour prendre une douche. Il s'esclaffa « Qu'avez-vous fait ce matin ? Est-il possible que vous n'ayez pas pris le temps de vous laver après vos ébats de cette nuit ? J'ai l'impression que vous y êtes encore dans votre nuit. Il est vrai que l'expérience unique que vous avez vécue vous a marquée et vous marquera à jamais. »

Il me fixait d'un air inquisiteur.

C'est avec crainte que je levais les yeux vers lui. Cet homme me devinait, me pénétrait, j'étais transparente à ses yeux. Sa prédiction était fondée. J'avais le pressentiment que cette nuit constituerait bien le début d'une obsession qui ne cesserait de me poursuivre. Mon être d'aujourd'hui ne serait plus le même que mon être d'avant la nuit. Je pris une douche rapide et cinglante pour me réveiller, avant de le rejoindre sur la terrasse, enveloppée dans mon peignoir blanc. En tête à tête, il me tutoya à nouveau, comme dans l'avion :

— Nos amis sont désolés de ne pas t'avoir saluée. Ils ont gardé un merveilleux souvenir de toi et m'ont chargé de te dire que tu serais toujours la bienvenue à Vevey.

— J'aurais préféré qu'ils me le disent eux-mêmes.

— Ils sont déjà restés fort tard la nuit dernière et ils prennent garde à ménager leurs épouses. En particulier, Madame Gilles se montre très jalouse.

— L'existence de la chambre à miroirs peut le justifier.

— C'est une idée à moi, cette chambre qui m'est venue d'estampes japonaises du 18e siècle qui s'appelaient « Miroir du désir ». On savait vivre à cette époque sous la période Edo. Ce n'est pas la même chose dans la bonne société suisse particulièrement soucieuse de respectabilité et l'épouse d'Antoine est une des plus grosses fortunes de la région. Mon ami n'aurait jamais pu acheter son Cabinet genevois sans l'aide financière de sa femme. Ici, ce n'est pas le règne de la jouissance sans entrave que nous connaissons tous les deux.

Après s'être amusé de sa remarque, Hubert m'invita à m'asseoir autour de la petite table aux pieds galbés, recouverte d'une nappe blanche.

— Compte tenu de l'heure tardive, tu te passeras de ton petit déjeuner habituel. Nous allons prendre tous les deux un reconstituant, nous en avons besoin. Il a été préparé par le barman à partir d'une recette que j'ai découverte dans marmiton.fr : des œufs, de la chantilly, du sirop d'érable et de la vodka.

Absente à moi-même, j'étais penchée sur les eaux du lac, attirée vers mon destin par le miroir des profondeurs.

Je laissais mon visage s'abandonner au pâle soleil d'automne.

Hubert prit le temps de me dévisager longuement. Son examen passait méticuleusement de mon visage à toutes les parties de mon corps. Je devais avoir l'air d'une naufragée avec un visage défait et une chevelure en désordre. J'ignorais son regard. Mes paupières s'alourdissaient encore. Je fermai mes yeux.

— Je ne t'ai jamais autant aimée qu'en ce moment, sans défense, languissante et vaincue, peut-être par trop de plaisirs ? Dans ton innocence, tu as le don de me faire encore bander ce matin. Cela ne m'arrive qu'avec des femmes exceptionnelles, d'une exquise et complète soumission. Cette confidence signifie que je fais entièrement confiance à ta discrétion.

Je demeurais dans la contemplation du lac, sans réaction.

— Nous n'avons pas le temps de nous laisser aller, malgré l'irrépressible envie que j'aie d'ôter ton peignoir, pour te revoir nue.

Hubert se reprit. Il retrouva un ton et un discours de directeur général.

— Passons aux choses dites sérieuses. Le moment est venu de faire le bilan de ces journées te concernant.

Nous avons décroché le contrat et ta contribution a été décisive. Ton examen de passage est donc réussi et tu ne cours plus aucun risque d'être reclassée dans un emploi subalterne. Communication verbale excellente, quoiqu'un peu hésitante au début. Ce manque d'assurance s'explique par ton peu d'expérience. Il est certain que tu vas progresser rapidement. Il te reste à améliorer ton entregent, apprendre à mettre en confiance tes interlocuteurs, les faire se confier pour connaître leurs projets. Si je n'étais pas intervenu, tu n'aurais pas répondu aux attentes de Milknes en matière d'espace partagé. À ce sujet, je te confie une mission d'enquête à ton arrivée. Nextdoor vient de mettre en service un espace de ce type, au pied de la tour A de l'immeuble Cœur Défense, dédié aux travailleurs indépendants et aux start-up. Il n'est pas le premier sur le parvis mais il propose un environnement plus convivial avec bars, canapés, jeu vidéo et même une balançoire. Il faut donc que tu enquêtes pour glaner tout ce qui pourrait enrichir la formation que nous allons dispenser. Nos clients suisses sont friands d'idées susceptibles de créer du lien social entre utilisateurs. Il est important de soigner notre réputation d'agitateur d'idées pour élargir notre part de marché dans ce pays.

Je termine par le meilleur : ta présentation et ton pouvoir de séduction sont sans égal tant sur moi que sur les autres. Il émane de toi un érotisme subtil auquel je ne suis pas près de renoncer.

Chose promise, chose due. Tes talents méritent d'être reconnus et encouragés, voici la petite enveloppe de gratification que je t'ai promise hier.

Je sentis sa main passer doucement sous mon peignoir, entrouvrir ma petite culotte pour y glisser l'enveloppe.

— Ce sont mes prestations nocturnes que vous payez ainsi ?

— Pas du tout, il s'agit de tes tantièmes de Présidente. Nous en avions parlé précédemment avant de monter dans la chambre. J'ai voulu qu'elle soit significative pour représenter également une prime de résultat. J'avais à cœur de récompenser, sans attendre, ton rôle dans l'attribution du marché.

— Votre manière de procéder pourrait laisser penser que vous me traitez comme une escorte-girl.

— Pourquoi continuer sur ce mode négatif ? Tu es, pour moi, une captive adorée. C'est une somme de 50 000 euros, en liquide, que tu trouveras dans l'enveloppe. S'agissant d'une rémunération occulte, j'ai trouvé approprié de la mettre dans l'endroit le plus secret de ta personne.

Il rapprocha lentement son verre du mien et caressa ma main d'un air pensif.

— Cette nuit, tu as été transportée dans un monde de jouissance insoupçonné, de nature à te troubler, n'est-ce pas ?

Ma main était rétive mais je n'osais pas la retirer. Je lui ai répondu, les yeux baissés pour éviter son regard :

— C'est vrai. Depuis que je suis à Vevey, j'ai dû faire face à un monde inconnu, mais cette nuit a été particulièrement étrange. Je m'étais offerte à vous Hubert, mais vous aviez disparu derrière le masque du loup, au point de ne plus savoir si c'était l'homme ou si c'était l'animal qui était sur moi. J'ai même eu l'impression à un certain moment que vous étiez plusieurs, je ne sais pas, je ne sais plus. J'ai perdu toute conscience comme si j'avais absorbé une drogue.

J'avais du mal à contenir mon émotion.

— Calme-toi et prends le temps de boire cette boisson délicieuse. Rassure-toi, ce n'est pas une drogue. Elle va te faire du bien… Comment as-tu pensé que j'ai pu avoir recours à un moyen aussi vulgaire que la drogue ? Je ne suis pas un petit malfrat. Mon ambition est d'une autre nature. Je suis un magicien de l'humain. Mon action peut amener l'autre à douter du réel. Pour décupler mon pouvoir hypnotique, j'utilise les énergies qui m'entourent. En la circonstance, ce fut le pouvoir aphrodisiaque du champagne que tu as largement consommé. En second lieu, trois hommes en adoration autour de toi et enfin la chambre du désir qui te renvoie dans ses miroirs mille reflets de nudités. Le pouvoir hallucinogène de ce cocktail est amplement suffisant pour te faire perdre tous repères et t'entraîner dans l'extase la plus profonde, sans recours à la drogue.

En vérité, tu es dans un déni de ta sensualité. Elle sommeillait en toi et son réveil te fait peur. Du coup, tu te poses des questions inutiles au lieu de raviver le souvenir de chaque détail de ta nuit pour le mettre près de toi tout chaud et haletant. C'est dommage… Connais-tu le mythe de Psyché ?

— Non.

— Un être invisible se glissa dans la couche de Psyché à la faveur de l'obscurité. Il jouit. Elle jouit. Il lui demanda de ne jamais chercher à connaître son identité et quand Psyché à l'aube se réveilla son visiteur avait disparu. Chaque nuit, il lui rendait visite puis la quittait avant l'aurore. C'est le début d'une obsession pour Psyché qui va la conduire, une nuit, à se lever une bougie à la main pour voir le visage de son amant, mais de la cire coule de la bougie. Il se réveille. Furieux, il va s'envoler et la quitter. Pourquoi Psyché a-t-elle éprouvé le besoin de découvrir celui qui lui apportait le bonheur ? Les sensations doivent l'emporter sur le regard. Psyché devait demeurer dans son rêve. On ne peut aimer qu'une illusion qu'il faut laisser au secret de sa nuit. Martine ne commet pas la même erreur qui ferait ton malheur, tu dois me faire une confiance absolue. Pourquoi te préoccuper d'autre chose que de ta jouissance ? Tu n'as qu'à fermer les yeux, t'abandonner. Même si je dois prendre, à l'instar de Zeus, d'autres apparences, inutile de te mettre en soucis. Je suis là et je connais tes moindres désirs.

Dans les transports de l'amour, je sais que tu souhaites toujours plus de baisers sur tes lèvres. Est-ce que je me trompe ?

Plus d'yeux pour te voir. Est-ce vrai ou faux ?

Plus de mains pour te toucher, te caresser. N'est-il pas vrai ?

Tu as connu plusieurs orgasmes intenses, au cours de la nuit. Dis-moi le contraire ? J'avais gardé les yeux baissés. Il insistait devenait pressant :

— Depuis le début, j'ai su lire en toi une frénésie silencieuse. J'ai perçu que tu étais habitée par une soif avide de plaisir et d'argent que j'étais le seul à pouvoir combler. Je t'ai libérée des entraves d'une éducation vermoulue et de la médiocrité de ta petite vie de femme au foyer.

Il pressa fortement ma main jusqu'à l'emprisonner. Le magnétisme de son désir me parcourut.

Je me sentis faible et servile devant lui. J'eus l'impression de disparaître et cette chute me causait une étrange volupté. Je laissais ma main s'abandonner dans la sienne.

— Cette nuit constitue un rite d'initiation. À partir de maintenant, une alliance nouvelle doit s'instaurer entre nous. J'emploie à dessein ce terme biblique pour souligner la profondeur de notre nouvelle relation. Les frontières avec la vie professionnelle doivent disparaître. Ta vie privée devra être abolie. Le seul énoncé de ce mot « privé » m'est insupportable. Je ne peux accepter l'idée d'être privé, d'être dépossédé. L'utilisation du smartphone qui permet de joindre à tout moment mes employés représente un incontestable progrès. Prendre place au milieu des soirées télévisuelles de mes collaborateurs, leur éviter de gaspiller leur temps dans des niaiseries m'apporte un certain réconfort, mais c'est insuffisant à l'égard de mes plus proches collaborateurs. J'ai besoin d'être avec eux dans un contact quasi permanent. À tout moment, je dois pouvoir me rendre chez toi, ou toi chez moi, pour approfondir un projet et, à l'issue du travail, nous libérer dans l'exaltation sexuelle.

— Mais… mais… Je te rappelle que je suis mariée et que je partage avec Sébastien le même logement. Il en est propriétaire au même titre que moi.

— Je suis au courant.

— Toi aussi tu es marié.

— Pour moi, c'est différent, le mariage n'est pas une contrainte. Virginie, j'en fais mon affaire. Elle viendra même nous servir le petit déjeuner au lit si je le lui demande.

À cette évocation, il ne put réprimer un petit ricanement de satisfaction.

— J'ai également deux enfants dont Sébastien est le père.

— Je sais cela aussi.

— Ils m'ont d'ailleurs envoyé de nombreux textos depuis que je suis à Vevey.

— C'est touchant, mais dans la vie il faut savoir ce que l'on veut. Tu as cessé d'être la mère de famille de Champigny-sur-Marne. Tu ne dois pas culpabiliser pour tes mômes. Il n'y a rien de plus égoïste que les enfants. Comme ton mari, ils attendent surtout que tu prépares les repas et que tu t'occupes de leurs petites personnes. La satisfaction de tes envies, de tes besoins, ils s'en tapent, tu ne peux pas savoir à quel point. Alors, tu vas demander à tes parents de continuer à s'en occuper, en raison de tes nouvelles obligations professionnelles. Ils vont renâcler mais ils le feront. De nos jours, les grands-parents sont d'un dévouement sans limite, ils ont tellement peur de perdre l'amour de leur progéniture.

Je trouvais que le discours d'Hubert n'était pas sans fondement et il réveilla en moi toute ma révolte accumulée.

— C'est vrai, à la maison je fais non seulement les repas mais toute l'intendance avec la tendresse en plus. La maman s'occupe de tout, c'est normal pour eux. En retour, je n'ai droit qu'à l'indifférence. Personne ne se préoccupe de savoir si je suis heureuse. J'en ai assez de cette vie-là.

— Martine, tu dois vivre à fond ton bonheur, écouter seulement ton bien-être, ton envie de réussir. Grâce à moi, tu vas pouvoir le faire. Tu as trouvé en moi l'instrument de ta libération. Ton salaire, complété par ta rémunération de Présidente, remplacera largement celui de Sébastien. J'étudierai la possibilité d'une avance sur salaire pour payer les échéances du crédit pour l'appartement. Tu n'as plus besoin de Sébastien. Il devient un boulet pour toi. Tu dois t'en séparer.

Anesthésiée, enveloppée dans un sortilège. Je bredouillai :

— Oui… Oui, mais il ne voudra jamais partir. Et puis, même si j'ai du mal à le supporter, c'est tout de même le père de mes enfants. Il a toujours été honnête et loyal à mon égard… Je ne veux quand même pas sa mort.

— Moi, si, il m'a trahi d'une façon impardonnable. Bien que prisonnier au fond de son placard en sous-sol, il continue de s'accrocher à son emploi et à toi comme une moule à son rocher. Quel manque de dignité ! Il en devient répugnant. Ne t'inquiète pas, je vais m'occuper de lui. Il finira par lâcher prise.

22

De son lit, Sébastien regardait couler la Marne.

Martine était déjà levée. Arrimée au bord du lit toute la nuit, elle avait pris soin d'éviter tout contact avec lui. Se toucher était devenu sacrilège.

La veille, après avoir préparé le repas, Sébastien l'avait attendue jusqu'à une heure tardive avant de se mettre à table. Martine avait déjà dîné à Roissy, sans avoir pris la peine de le prévenir. Il ne comptait plus, n'existait plus. Ses yeux ne rencontrèrent jamais les siens. Elle arborait l'air renfrogné de celle qui a des reproches à faire mais qui se retient. Cette attitude hostile lui épargnait de converser. Il avait essayé en vain de l'interroger sur son voyage d'affaires. CMSE avait remporté le concours, elle était satisfaite, mission accomplie, voilà tout. Maintenant, elle était fatiguée, elle allait se coucher. Les enfants ? On en parlerait plus tard. Pour le moment, ils resteront chez ses parents, elle irait les voir dimanche.

— Et le revolver ?

Elle se retourna soudain, comme si une vipère l'avait piquée.

— Quoi, le revolver ?

— Oui, le revolver de mon grand-père. Je ne le retrouve plus… Cela m'inquiète. Je me souviens qu'il t'avait fait peur, tu as dû le planquer quelque part ?

— Pas du tout, il n'est pas à moi, ce n'est pas mon problème, tu n'as qu'à savoir où tu ranges tes affaires.

Elle reprit son air buté et se dirigea toute raide vers la chambre.

Le lendemain matin, après avoir pris un petit déjeuner sur le pouce, la tasse de café à la main, sans prendre le temps de s'asseoir, Martine était partie.

La Marne continuait de couler. Coléreuse et boueuse, elle charriait des branches d'arbre qui faisaient des S.O.S. au milieu du courant. Sébastien se demanda si les poissons rouges de HH continuaient de nager. Il les imagina qui passaient entre deux eaux devant sa fenêtre. Au moins, lui, il leur avait donné une chance de survivre en leur rendant la liberté.

Il partirait plus tard quand le gros des voyageurs aurait diminué. Il avait peur d'être piétiné par la foule. Sortir de chez lui devenait une épreuve. Saisi de vertiges, il devait s'appuyer aux murs pour ne pas tomber. Il avait mis au point un parcours compliqué, pour se rendre depuis la sortie du métro jusqu'à la tour de CMSE, en contournant le parvis de la Défense qu'il était incapable de traverser. Nakache lui avait dit qu'il devenait agoraphobe, il fallait qu'il se bouge et consulte un psy.

À n'en pas douter, Hubert était à l'origine du changement dans l'attitude de Martine. Elle était devenue sa marionnette. Quel nouveau plan était-il en train de concocter ? Un entretien était prévu à son retour, Sébastien ne tarderait donc pas à être fixé. Quelle serait la suite de sa vie professionnelle et familiale avec Martine et ses enfants ? Il se perdait en conjectures. Elles le plongeaient dans un avenir rempli de pièges. Il se voyait en animal traqué par des chasseurs, bête aux abois qui flaire le danger sans pouvoir le circonscrire.

Ne pas subir, faire que la peur change de camp, tenir dans ses mains son revolver l'aurait rassuré, matérialisé ses envies de revanche. Sa disparition inexpliquée ajoutait à son angoisse.

Se faisait jour en lui l'envie de fuir, de s'échapper, de prendre un billet de train pour n'importe où. Il s'en sentait incapable. Il gardait néanmoins dans un coin de sa tête ce rêve d'évasion. À l'idée de trancher les liens avec ce monde, un sentiment de liberté le parcourait. Rien ni personne ne pèserait plus sur lui. L'air deviendrait léger et le ciel d'un bleu très pur. Ces instants arrachés à son mal de vivre demeuraient trop brefs.

Tout lui échappait. Il était perdu sans ces repères qui permettent de vivre dans la société : je m'appelle Tartempion, je travaille à tel endroit, j'ai une femme qui m'attend, des enfants que j'embrasse. À la souffrance de voir sa propre femme se retourner contre lui, s'ajoutait la honte de subir cet affront. Elle n'était plus la même. Certes, elle était chiante ces dernières années, mais vivante. Depuis hier, il avait à faire à une possédée, comme celles du couvent des Ursulines de Loudun. Elle, possédée, lui, dépossédé, vases communicants, tous les deux entraînés vers le néant.

Au fondement de toute tyrannie se trouve la complicité de la victime. Sébastien avait étudié ce phénomène chez Etienne de La Boëtie dans son *Discours de la servitude volontaire,* souvenir de la fac. Il fallait admettre que, sa femme, en devenant complice du prédateur, avait permis à celui-ci d'en prendre possession.

Pour ne pas se sentir castré, il n'avait plus que son sexe sous la main. Se venger d'elle par et sur le sexe. Sébastien se persuada que les plaisirs inavouables sont souvent les meilleurs. À la nuit tombée, il avait pris l'habitude d'observer à la jumelle sa voisine d'en face, aux longs cheveux blonds, celle qui se délectait à vapoter tout en se faisant peloter. Elle se concentrait sur la fumée feignant d'ignorer les mains qui se baladaient sur son corps. Grande, la taille fine, avec des seins petits en forme de citrons, elle conservait ce détachement qui décuplait ses sensations. Cette scène captivait Sébastien. Elle est revenue le visiter ce matin avec insistance. Il ne put résister au besoin de participer au plaisir de sa voisine jusqu'à la jouissance…

Celle-ci atteinte, il constata que sa satisfaction ne correspondait pas à l'intensité de ses attentes. La volupté envolée dans la fumée, il se retrouva seul.

N'ayant rien de mieux à faire, il se prépara pour rejoindre son *bureau.*

Au début, Sébastien arpentait sans arrêt les mètres carrés de son réduit, la souffrance des animaux de zoo qui tournaient et retournaient dans leurs cages jusqu'à la folie lui était devenue familière. Dans cette pièce sans âme, sans visage, sans jamais rien qui change, qui puisse le distraire de ses pensées, de ses interrogations, de ses peurs, il regardait cette table, cet ordinateur dépourvu de fonctions, ce *bureau* qui n'en était pas un. C'était justement ce qu'il avait voulu, le prédateur, lui faire ressasser ses pensées jusqu'à l'étouffement afin qu'il ne puisse faire autrement que de craquer.

Sur les conseils du syndicaliste Leroy, Sébastien avait saisi le comité d'hygiène et sécurité. Ils avaient tourné dans la pièce d'un air consterné, sans rien dire. Un rapport devait être fait. Sébastien n'avait toujours rien vu venir.

Et puis, petit à petit, Sébastien avait trouvé une respiration entre ces quatre murs. Peut-être Dieu l'avait-il pris en pitié ? Lui avait-il tendu la main pour le sauver ?

Ces murs gris le protégeaient du monde. La vie s'écoulait hors de l'espace et du temps. Il méditait chaque jour à partir de la Bhagavad Gîta « Celui qui, dépris de tout, rencontrant heur ou malheur n'éprouve ni joie ni haine, voilà celui qui est confirmé en sagesse » (Chant 2, verset 57).

C'était un réconfort d'être persuadé qu'Hubert n'avait pas prévu cela. Seul, Nakache avait eu cette intuition quand il l'avait incité à en faire un espace de liberté. Une fois passée l'épreuve du trajet, Sébastien s'installait entre ces quatre murs, royaume misérable, certes, mais bien à lui. Il s'y trouvait à l'abri des regards malveillants et des propos blessants, d'ELLE, de l'AUTRE et des AUTRES, ses *chers collègues* pour qui fréquenter un *looser* était dévalorisant et lui adresser la parole compromettant. Seuls les exclus, Anne et Nakache, entretenaient des rapports amicaux avec lui.

Justement, Nakache l'appela. Sébastien lui raconta le retour de Martine et l'atmosphère qui régnait au domicile conjugal. Nakache le pressa de se rendre sur un site de rencontres avant d'être complètement largué. Sébastien lui rappela avoir déjà fait une tentative d'inscription et s'être perdu dans la complexité de la procédure. Surtout, il redoutait d'être maladroit dans le baratin informatique.

— Oui, je sais, je vais m'en occuper. Je suis en train de monter une start-up, je n'ai pas le temps de venir te voir mais j'ai pensé à toi, j'ai commencé un processus de validation, à partir de mon ordinateur, sur le site *rencontres de charme*, c'est, à mon avis, le plus approprié pour toi. On va le compléter ensemble pour coller à ton profil. Je te propose d'aller à la pêche aux nanas à ta place. Je ferai le tri et je te mettrai en relation avec celles qui pourraient te convenir. Les autres je les remettrai à l'eau comme les poissons d'Hubert ou je les garderai pour moi. Au fond, je serai un peu ton Cyrano, ça te convient ?

Sébastien n'y croyait pas trop, il n'était pas emballé par ces recherches en ligne où il fallait se vendre, utiliser des pseudos, entrer dans des jeux de rôle mensongers. Pour ne pas décevoir son ami qui se décarcassait pour lui, il finit par accepter. Après tout, on verrait bien.

— Bon, voyons, tu es un homme qui cherche une femme de 30 à 50 ans ?

— Oui.

— Ton âge ? Est-ce que tu veux te rajeunir comme tout le monde ?

— Non, tu mets mon âge, 45 ans.

— Pour ton lieu de résidence il vaut mieux éviter Champigny-sur-Marne, si tu trouvais quelqu'un dans ce coin tu pourrais être gêné. On va mettre Paris, en plus ça fait mieux.

— Oui.

— Maintenant, c'est plus délicat, il te faut un pseudonyme. Tu as une idée.

— Non, je ne savais même pas que c'était obligatoire.

— J'ai pensé à *l'aristo,* ça te va bien et ça peut attirer certaines femmes.

— Bon, je te laisse juge… Allons-y pour l'aristo.

— Tu es marié avec deux enfants. Je me demande s'il faut parler des enfants, ça peut décourager ?

— Je te laisse juge.

— Bon, tu ne les vois plus beaucoup, je n'en parle pas… Autre question : Est-ce que tu es prêt à t'engager ?

— Pas pour le moment.

— Définir ta personnalité. Attends, je vais te lire les propositions du site.

Nakache partit dans une longue énumération : courageux, attentionné, sociable…

Il reprit sa respiration à la fin de la liste pour conclure : « Si tu es d'accord, je mettrai réservé, sensible, réfléchi, calme, secret, qu'en penses-tu ? »

— Il n'y a pas beaucoup de nuances là-dedans. Enfin, on ne va pas se livrer à une analyse psychanalytique, tu enlèves calme qui peut paraître ennuyeux.

— Opinions politiques, qu'est-ce que tu veux mettre, gauche ou droite ?

— Pas de classement binaire, je ne peux pas me situer ainsi.

— Bon, je laisse sans réponse. Inutile de te priver d'une chance à cause de la politique.

Le reste je vais le renseigner rapidement, je n'ai pas besoin de toi : niveau d'études, taille, cheveux, profession… Ah, si, ton physique ?

— Je te laisse le soin d'en décider.

— Je vais mettre beau ténébreux.

— Si tu veux.

— La personne recherchée ? Je vais m'en tenir à sensible et romantique pour ne pas être trop limitatif.

— Tu as raison.

— Bon, ça y est, je vais terminer et je balance le tout, je te tiens au courant.

Nakache ne tarda pas à le rappeler.

— Mon ami, ton profil est attirant, ça frétille au bout de ma ligne. J'ai le contact avec plusieurs femmes… J'ai pris deux rendez-vous pour aujourd'hui, le troisième pour demain.

Sébastien appréhendait de devoir se jeter à l'eau si rapidement. Il était tenté de rentrer dans sa coquille, d'attendre qu'il soit dans une meilleure forme mais Nakache se fit pressant « la meilleure façon de te soigner c'est de sortir de ton trou ». Vu sous cet angle, ça devenait une thérapie. Malgré son attirance pour la méditation, il ne se sentait pas une vocation monacale. Il lui faudrait bien retrouver une vie sexuelle avec une véritable partenaire, il ne pouvait se contenter éternellement d'une pratique masturbatoire. Sébastien ne pouvait pas reculer.

Nakache avait bien fait les choses. Un seul lieu de rendez-vous, pas trop loin de la Défense, un restaurant sur les Champs à côté du Lido. Le premier rendez-vous était à midi avec Jacqueline, une dame qui affichait 45 ans mais qui devait en avoir 50 d'après Nakache. « Vous pourriez prendre l'apéritif et déjeuner ensemble si affinités » Elle serait heureuse de rencontrer quelqu'un de sensible comme toi. Les autres renseignements étaient un peu flous, en particulier sur sa situation actuelle. Peut-être était-elle mariée ? Avec des enfants ?

Sébastien était ponctuel. Un crachin désagréable qui le faisait grelotter l'obligea à se réfugier à l'intérieur. Il prit un café pour se réchauffer. Il n'osa pas commander un apéritif, ça ne faisait pas sérieux. C'était peut-être aussi le souvenir de cette chanson ridicule que chantait son père « Un monsieur attendait devant un Dubonnet la belle qu'il aimait… »

Il l'attendit longtemps dévisageant toutes les femmes d'une cinquantaine d'années. Il ne sut jamais s'il aurait aimé celle qu'il attendait. En revanche, il se sentit parfaitement ridicule. Il appela Nakache. Il avait pourtant donné son signalement d'une façon très précise « Ne t'en fais pas ce sont des choses qui arrivent. Du coup, je vais avancer le rendez-vous de la deuxième. »

C'est ce qu'il fit, elle était d'accord pour 14 h 30 pour prendre un café avec lui après son déjeuner. Il venait à peine de terminer son « croque-madame » et de boire un demi de bière qu'elle se présenta à lui « Vous êtes bien Sébastien ? Je suis en avance, ça a bien roulé et j'ai trouvé tout de suite une place pour me garer. » Surpris, il se leva précipitamment pour la saluer. Il fut un peu déçu. Il étouffa cette première impression, certaines beautés demandent à être déchiffrées. Elle était mince, un peu sèche même, avec deux grands yeux noirs qui mangeaient son visage. Son long manteau beige d'une coupe classique n'allait pas avec la casquette gavroche qu'elle portait.

Ils commandèrent un café. Après quelques échanges sur le mauvais temps, elle entra dans le vif du sujet : « Bon… Qu'est-ce que vous faites dans la vie ? ». En deux minutes, ils savaient tout l'un de l'autre. Valérie était gérante d'un magasin de chaussures. Son mari la délaissait et elle ne pouvait plus supporter cette situation,

« Vous comprenez ? Si ça se trouve, il se tape ma meilleure copine et moi je suis là comme une andouille ». Sébastien dit qu'il comprenait et affecta un air peiné. Il la questionna sur ses goûts, ses passions, ses distractions. Elle poussa un soupir. « J'ai déjà répondu à tout ça sur le site. » Sébastien resta décontenancé, il lui paraissait inconcevable de ne pas avoir quelques échanges pour permettre au désir de se manifester au travers de la conversation. « Bon… Dites-moi plutôt, comment vous me trouvez ? »

« Je vous trouve… pétillante. » Elle sourit.

« Vous savez, je ne fais pas mon âge. Bon… Qu'est-ce qu'on fait ? » Valérie s'agitait sur son siège.

« Vous êtes pressée ? »

« Oui, Sébastien, la vie est courte, je n'ai pas de temps à perdre et, sans vous vexer, je sens que vous n'êtes pas mon genre. »

« Vous avez raison, je n'osais pas vous le dire, je pense moi aussi que nous ne sommes pas faits l'un pour l'autre. »

« Ah ! Vous aussi ? » Elle se leva.

« Autant se dire les choses franchement tout de suite. »

« Vous avez raison. » Il régla rapidement au comptoir et l'accompagna jusqu'à sa voiture.

« Tiens, un papier sur mon pare-brise… Une contravention ! Décidemment ce n'est pas mon jour de chance. » Gêné, Sébastien offrit de lui en payer la moitié. Elle haussa les épaules avant de démarrer.

Quand il appela Nakache pour le tenir au courant de son second rendez-vous, son mentor se fit pédagogue.

— Il faut que je t'explique Sébastien, les femmes ont changé. Avant, on faisait connaissance avant de pouvoir coucher, maintenant beaucoup de femmes, je ne dis pas toutes, font connaissance dans le lit, le sexuel est le plus important. Si ça ne marche de ce côté-là, inutile de continuer. Autrement dit, elles couchent d'abord et discutent après. C'est encore plus caricatural pour ta Valérie manifestement en manque et dotée d'un niveau intellectuel pas très élevé. Il est évident que ça ne pouvait pas marcher entre vous. Cela me conduit à penser que je dois compléter ton annonce sur le niveau d'études requis des candidates, je vais mettre bac+5 et plus. Je te rappelle dès que j'ai du nouveau.

Son appartement de Champigny était vide. Martine lui avait laissé un message, elle rentrerait très tard, il ne fallait pas l'attendre.

Il appela ses beaux-parents pour avoir des nouvelles de Benjamin et Romane. Comme toujours, c'est son beau-père qui lui répondit :

— Ils sont en train de regarder Super Nanny, vous savez c'est très instructif pour les enfants, ça les renseigne sur le monde d'aujourd'hui avec ces familles plus ou moins décomposées que l'on voit partout. Ils sont réconfortés de voir que Super Nanny trouve toujours une solution à leurs problèmes. Ils sont bien occupés, il vaut mieux ne pas les déranger ce soir.

Sébastien demanda quand il pourrait venir chercher les enfants.

— Notre fille nous a dit qu'elle était débordée de travail à la suite de son voyage en Suisse. Elle a bien réussi et on lui a confié de nouvelles responsabilités. Elle n'a pas la possibilité de reprendre les gosses pour le moment.

— Mais moi je pourrais m'en charger, si c'est nécessaire avec l'aide d'une Baby Sitter.

— Je crois que c'est prématuré, Martine nous a dit que vous étiez un peu déprimé. Elle nous a demandé de continuer à nous en occuper pour les protéger.

— Les protéger de qui, de quoi ? Je suis tout de même le père, j'ai mon mot à dire.

— Certes, certes, moi je ne veux pas me mêler de vos histoires, j'écoute ma fille c'est tout. Vous pourrez venir les voir, c'est normal puisque vous êtes le père, mais il faudra prendre rendez-vous, nous ne sommes pas à votre disposition.

Sébastien s'approcha de la fenêtre. Il faisait déjà nuit, on était entré dans les mois de fin d'année. Martine avait parlé de protéger les enfants, elle avait certainement pensé au revolver. Qu'en avait-elle fait ? Elle devait l'avoir planqué quelque part par peur qu'il ne s'en serve.

Une pluie fine tombait. Sébastien colla son nez sur la vitre. Il aperçut le vieux qui allait dans son réfrigérateur à l'aide de son déambulateur. La fille aux cheveux longs était là aussi, elle devait téléphoner. Il essuya la vitre pour mieux voir ses seins qui, ce soir, allaient et venaient tout simplement sans être capturés par une main d'homme. Il pensa qu'elle pouvait être sujette à une baisse de libido. Il chercha la fenêtre de sa collègue Anne. Ses volets étaient déjà descendus. Il lui sembla qu'elle les fermait plus tôt depuis qu'elle savait qu'il habitait en face d'elle.

Sébastien se laissa tomber dans son fauteuil. Il n'avait pas faim. Il s'assoupit devant la télé. Il aurait fallu une femme aimante auprès de lui, pour lui caresser les cheveux, lui chuchoter tout ça finira par s'arranger. Sa mère lui disait ces choses-là autrefois. La tendresse s'en était allée sans crier gare. Elle avait disparu depuis longtemps. Elle n'existait plus. Sébastien se sentit seul.

23

Sébastien s'était rendu à son troisième rendez-vous sans trop d'illusions. C'était la suite de la thérapie prescrite par Nakache, son seul ami. Il se devait de la respecter. Il ressentait également la nécessité de ne pas subir, de prendre sa revanche, de ne pas se laisser envahir par ce sentiment d'amertume qui montait en lui chaque jour un peu plus, jusqu'à le submerger comme la lave d'un volcan.

En voyant arriver la femme du jour, il eut un choc. Après avoir ôté son manteau avec aisance, elle apparut en petite veste de vison blanc très seyante sur une robe noire garnie d'un collier en perles de verre. Elle lui tendit la main, se présenta en souriant :

« Sandra ». Une femme belle et élégante, il ne s'y attendait pas. Il vérifia qu'elle avait bien rendez-vous avec lui, Sébastien, mais oui. Elle commanda un cocktail d'un nom brésilien chatoyant et lui un Martini avec un zeste de citron. « À nos amours », dit-elle en levant son verre dans un grand sourire. C'était tellement inattendu qu'Il ne put s'empêcher de rire, lui qui ne savait plus rire depuis longtemps.

— Savez-vous pourquoi j'ai donné suite à votre annonce ?

— Non, mais je serai curieux de le savoir.

— Parce que vous ne dîtes pas grand-chose de vous et que vous ne mettez pas en avant vos qualités. C'est très rare sur des sites de rencontre. J'ai voulu vous voir pour en savoir un peu plus.

Une voix de gorge un peu surprenante, des grands yeux d'un vert sombre qui parfois s'arrêtaient pour le fixer. À cet instant passait dans son regard une perspicacité qui lisait au plus profond de lui-même.

— Donc maintenant, dites-moi tout.

Il lui raconta son histoire, en la résumant, depuis les vacances ratées de l'été dernier, les humiliations de son chef en qui il avait placé toute sa confiance, les poissons rouges dans la Marne, sa mise au placard, sa femme possédée par son chef.

— L'épisode des poissons est très fun, jamais vu ça, super votre réaction ! Par contre, le reste est cauchemardesque. Et vos enfants ? Je crois que vous en avez deux.

Il lui dit qu'ils étaient sous la garde de ses beaux-parents, qu'il avait perdu tout contact avec eux.

— Vous avez le droit de les reprendre, vous êtes le père.

— Je ne m'en sens pas capable dans les circonstances actuelles. Une mère absente, un père en qui ils n'ont plus confiance, non vraiment ils seraient malheureux… Bon… Je préfère arrêter là ce misérable récit. J'ai été sincère mais j'ai conscience de vous avoir perdue. Séduire c'est tromper, je ne sais pas le faire. Parlez-moi de vous maintenant. Une si jolie femme ne devrait pas avoir de peine à faire des rencontres sans passer par un site.

— Des rencontres j'en ai faites c'est vrai, mais bien souvent superficielles. Après avoir été mannequin, j'ai réussi à me faire une place dans la presse féminine et tiens un courrier du cœur en ligne sur « Confidences.fr ». J'en ai assez de n'échanger qu'avec des gens qui lisent les mêmes livres, les mêmes magazines, voient les mêmes spectacles, qui s'offrent tous les mêmes destinations exotiques, qui sont installés dans le culte du confort et de la performance, assez des aventures sans lendemain qui me laissent à chaque fois dans une plus grande solitude. Afin de ne pas vivre seule, je partage mon quotidien avec une amie, Esther, une fille plus jeune que moi. Nous parlons beaucoup et je l'aide de mes conseils de femme… avertie (sourire) Pour moi cette situation ne peut être que provisoire. Je recherche une relation stable, avec un homme sincère et distingué comme vous. Vous avez également un côté un peu naïf, inattendu à votre âge, mais cela ne me déplaît pas, ça me change de mes relations habituelles. Le hic, c'est votre situation trop instable, notamment sur le plan financier. Je suis partante quand vous parviendrez à vous libérer de vos chaînes, de tout ce qui vous attache encore à votre femme et à votre patron, que vous déciderez de larguer les amarres pour une nouvelle vie, pour renouer avec la réussite que vous méritez.

Ce jour finira par arriver, j'en suis certaine. Ce jour-là, faites-moi signe, nous verrons où nous en serons tous les deux. Qu'en pensez-vous ?

— J'aurais aimé poursuivre la relation tout de suite. Vous revoir sans tarder. Vous me plaisez tellement.

— Non, Sébastien pas possible, je te l'ai dit (permets que je te tutoie) les histoires passagères avec un homme, j'ai trop donné, c'est fini, je ne veux plus ou plutôt je ne peux plus prendre de risques. Tu n'as pas de chance, tu arrives au mauvais moment…

Ils se regardent. Elle lui prend la main avant de se séparer :

Il ne faut rien regretter, on a bien fait de se parler sans détour, ça fait du bien. On ne se perd pas de vue. Je te laisse ma carte ainsi que celle de mon amie qui est avocate, quelque chose me dit que dans ta situation tu auras besoin de ses services. Ce n'est qu'un au revoir. Ses lèvres effleurent celles de Sébastien.

Sébastien s'est levé pour la voir disparaître comme un rêve. Il pense qu'elle était trop belle pour être vraie. On ne peut saisir un rêve. Avec les femmes, c'était toujours trop tôt ou trop tard, pour lui.

Le « Rêve » c'était le nom du dancing. Deux filles riaient. Au retour des vacances, elles avaient encore envie de s'amuser. Il avait réussi à vaincre sa timidité et invité Karine, sa copine était déjà dans les bras d'un autre. La boule de cristal lumineuse miroitait au-dessus de leurs têtes, les deux couples demeuraient enlacés, joue contre joue, lèvre contre lèvre. Il aurait voulu que le slow ne finisse jamais.

L'autre gars, Gilbert, embarqua le petit groupe dans sa voiture pour une virée sur les bords de Marne. Il faisait encore nuit et pas très chaud. Gilbert ne tarda pas à emballer sa cavalière avec lui dans une couverture pour la réchauffer. Sébastien voulut faire de même avec

Karine mais elle demeurait pétrifiée comme une momie. Ce n'était plus le moment, avait-elle dit.

Avant d'arriver à la Défense, il descendit au métro Sablons. Il gagna le bois de Boulogne et prit un sentier qui s'enfonçait, là où le bois était resté plus vert et dense. Il s'enfonça dans cette nuit d'arbres. De temps en temps, il regardait autour de lui comme un criminel en cavale. Il traversa le sous-bois et retrouva un chemin cimenté. C'était manifestement un endroit de prostitution.

Sébastien n'avait eu recours à la prostitution qu'une seule fois à l'adolescence. Encore un souvenir désagréable. À Paris, dans la rue Saint-Denis, des filles faisaient encore le trottoir à cette époque. L'une d'elles s'était approchée de lui jusqu'à le toucher. Rassuré par son sourire, il avait monté derrière elle un escalier grinçant et humide. Arrivé dans la chambre, ce fut le désenchantement. Après lui avoir réclamé son argent l'aimable créature lui avait ordonné de se laver la bite au lavabo. Tout ça pour l'entendre se plaindre ensuite qu'elle se sacrifiait pour payer des études à sa fille. Le désir ne tarda pas à l'abandonner, sauf celui de quitter au plus vite la chambre. Dans la rue, elle arborait, en se lamentant, l'air d'une femme qui aurait subi les derniers outrages. Sans demander son reste, il était parti sous les regards désapprobateurs des prostituées et des passants.

Dans le bois, une femme le repéra lorsqu'il lorgna vers elle. Elle trouva tout de suite de quoi l'attirer en dégrafant son corsage. Deux beaux gros seins surgirent avec leurs fraises brunes. Sébastien s'arrêta, fasciné et craintif. Un peu forte avec des joues charnues, elle avait quelque chose de rassurant. Il imagina une paysanne qui aurait abandonné sa ferme et ses lapins pour un brin de tapin, juste pour arrondir ses fins de mois. Sûre de son pouvoir, elle prit ses deux beaux fruits mûrs dans ses mains, pour les lui offrir. D'un mouvement de tête, elle lui fit signe d'approcher et l'entraîna derrière les arbres, il fallait qu'il se méfie, maintenant les flics pouvaient s'en prendre au client. Il lui glissa le billet qu'elle demandait et enfouit, sans dire un mot, sa tête au milieu des deux seins. Elle lui caressa les cheveux. Il songea avec bonheur que cette fois il était bien tombé. Dans un geste presque maternel, elle tendit vers sa bouche le bout foncé de son sein droit. Il le suça goulûment, puis il passa au suivant avec la même délectation, jusqu'à en perdre sa semence dans son pantalon.

De retour au placard, Sébastien ouvrit son ordinateur. Il trouva dans sa messagerie un mail de Lepetit qui avait constaté qu'il était absent de son poste de travail. Le DRH avait pris la peine de venir à son bureau, à la demande de Monsieur Hamlet qui avait cherché à le joindre.

À Champigny, l'appartement était vide. Martine n'avait laissé aucun message.

24

Sébastien se prépara sans tarder, pas le temps ce matin de regarder couler la Marne. Il devait être à l'heure car Il s'attendait à une convocation en début de matinée. Avant de partir en Suisse, Hubert lui avait promis de prendre une décision à son retour et il avait cherché à le joindre la veille. Ce rendez-vous s'annonçait comme capital.

Il entama son parcours du combattant avec détermination. Foncer dans le brouillard pour attraper le RER, ignorer les vertiges, tant pis pour la chute probable, pénétrer avec hargne la foule compacte, monter pour se faire une place en poussant des fesses, enfin s'affaler avec soulagement sur le siège qui se trouve libre par miracle et fermer les yeux jusqu'à la Défense. Autour de lui, l'agitation, un va-et-vient perpétuel, des frôlements, un gros sac qu'il se prend dans la gueule, l'inévitable quêteur qui vient lui réclamer une petite pièce ou un ticket restaurant. Il ouvre un œil, déjà Nogent-sur-Marne. Après cette station, le train s'arrête sous un tunnel, une annonce, il faut patienter c'est un incident technique, ouf il repart cinq minutes plus tard, Sébastien ne devrait pas tarder à être fixé sur son sort. Il avait attendu ce moment où il pourrait trouver une issue. La peur de l'homme traqué ne le quitte pas, elle ne fait que croître à l'idée de rencontrer HH, elle colle à lui, comme une seconde peau, le fait transpirer. Lâchement, il aurait même préféré demeurer, encore un peu, dans la miséricordieuse anesthésie de sa cellule, il s'était maintenant habitué à son isolement qui le protégeait du monde. Il avait fait sienne la pensée de Pascal : « Tout le malheur des hommes venait d'une seule chose, qui est de ne savoir pas demeurer en repos dans une chambre ».

Il allait donc à la Défense à la manière d'un crabe, le seul animal qui avance en reculant, pas étonnant c'était son symbole zodiacal, le Cancer.

Dans son bureau, il ferma la porte pour ne pas entendre la pétarade des véhicules dans le parking souterrain. Un appel était enregistré sur le répondeur. Sébastien se précipita, ses jambes tremblaient. Hubert avait-il déjà appelé ? Non, c'était Nakache qui lui conseillait un nouveau site de rencontres *adopte un mec* qui, selon lui, serait plus en adéquation avec son tempérament. Ils devaient se rappeler.

Attente. Rien. Pas de téléphone d'Hubert.

Il alluma son ordinateur, entra son mot de passe, vit toutes les icônes apparaître un à un. Sur la page d'accueil il découvrit un aquarium immense avec un poisson bleu en forme queue de voile. Il le reconnut immédiatement, c'était le poisson combattant, le préféré de HH, sa représentation aquatique. Autour de lui nageaient en satellites des poissons argentés, de multiples couleurs.

L'attente qui se prolongeait lui rappela sa vision d'un poisson en train de s'agiter dans une souffrance sans fin au bout de la ligne d'un pêcheur démoniaque.

Il trouva trois nouveaux courriels. Le premier émanait de la Direction du Marketing de CMSE. Il diffusait en annexe un reportage sur les nouveaux marchés prospectés par Martine Masson, appelée à prendre prochainement de nouvelles responsabilités. Grâce à son action, CMSE devenait leader en matière de formation pour l'utilisation des espaces de coworking. On la voyait évoluer, dans le nouvel espace *The Bureau* qui venait d'ouvrir à deux pas de l'Alma, dans le hall éclairé par une verrière avec vue sur la Seine. Elle ouvrait les bras pour souhaiter la bienvenue dans ce *lieu de travail et de vie* haut de gamme qui devait disposer d'une antenne dans toutes les capitales européennes.

Le second courriel provenait de la DRH. Il informait de la nomination de Martine Masson comme Chief happiness officer, en abrégé CHO, ou feel good manager, concept venu de la Silicon Valley, aux États-Unis. Ce CHO avait pour mission de créer, au sein de l'entreprise et pour les intervenants en espace partagé, les conditions du bien-être, facteur de performances individuelles et collectives.

Le troisième accompagnait une vidéo qui racontait, en forme de conte, l'histoire étrange d'une femme nue qui se trouvait dans une chambre, où elle devenait la proie des loups, à la lueur d'une bougie dont le reflet tremblait dans des miroirs.

À la vue de ces images, Sébastien, se sentit fragile et nerveux. Leur rapprochement provoquait en lui un malaise.

Sébastien alla déjeuner dans un resto où il savait être à l'abri des regards dans un coin de la salle. Il ne fréquentait plus depuis longtemps le restaurant d'entreprise. Son repas terminé, il reprit son itinéraire personnel pour éviter de se cogner aux nombreux salariés qui arpentaient à cette heure-là la dalle de la Défense. On était entré dans le mois de décembre, l'air était glacé, les gens étaient emmitouflés dans des manteaux ou des doudounes.

Arrivé dans son bureau, il attendit vainement un appel toute l'après-midi. À quoi bon vous presser, n'est-ce pas Monsieur le Directeur Général, maintenant que le poisson était ferré ?

Ce n'est que le lendemain que l'assistante de Direction lui téléphona. M. Hamlet l'attendait dans son bureau à 16 h.

L'ascenseur lui permit d'accéder à l'étage réservé à CMSE. Il devait le traverser pour reprendre un autre ascenseur qui l'amènerait à l'étage de la Direction.

Dans le couloir, le vide se faisait sur son passage. Ils s'égaillaient tous, comme autant de grenouilles et crapauds sautant dans leurs marigots, les Guérin, Morvan, Stéphanie, Tun Van Laï… Jusqu'au DRH qui disparut lui aussi dans un bureau. Sébastien devinait, derrière les vitres, leurs regards effarés de voir passer un revenant.

Seul, Patrick Briand se heurta à lui, par mégarde, en ouvrant une porte. Par automatisme, il saisit la main de Sébastien : « Comment allez-vous ? »

« Très bien ». Briand leva un doigt pour énoncer d'un ton docte une locution latine qui mit fin à cet échange. Il était coutumier de cette cuistrerie, pour se montrer Brilland le bien nommé. Terminer ses interventions par une formulation latine lui permettait de clouer le bec à ses interlocuteurs, qui n'osaient jamais demander sa signification pour ne pas paraître ignares.

Sébastien allait rencontrer quelqu'un qui n'allait pas se dérober. Au bout du couloir, La Tortilloni se tortillait, transportant son chignon sur sa tête. Il crut qu'elle allait, elle aussi, bifurquer en l'apercevant. Mais non, elle fonça sur lui. Peut-être ne l'avait-elle pas vu à travers les verres épais de ses lunettes qui corrigeaient mal sa vue de taupe ?

« M. Masson, quelle surprise ! On se demandait tous où vous étiez passé. Moi, j'ai parié que vous aviez pris un congé sabbatique. »

« C'est bien exact, mais je passe mon congé dans un bureau mis à ma disposition par la Maison » « Ah ? Drôle d'idée » « Je n'ai pas le temps de vous expliquer, j'ai rendez-vous avec M. Hamlet. »

« Ah ? » fit-elle à nouveau avec des yeux soudain affectés d'un strabisme aigu. Il la laissa dans un abîme de perplexité.

À l'étage de la Direction Générale, il reconnut l'hôtesse en chemisier blanc et chignon impeccable. Cette fois pas le temps de se prélasser dans les fauteuils design, elle s'empressa, montrant même une certaine nervosité, signe que le patron devait s'impatienter « Entrez, entrez, M. Hamlet vous attend ». Sébastien se trouva propulsé dans le bureau directorial.

Aujourd'hui, Hubert, assis, le visage impérial, tournait le dos à son aquarium. Sans un mot, il fit signe à Sébastien de s'asseoir, en face de lui, dans un fauteuil bas et profond où le visiteur se trouvait en position d'infériorité.

25

Hubert gardait le silence tout en examinant Sébastien. Cet accueil ne présageait rien de bon.

— Il faut que nous parlions sérieusement, Sébastien. Vous avez dû recevoir dans votre messagerie les informations internes relatives à la promotion de Martine ?

Sébastien opina du chef et Hubert continua en se félicitant d'avoir eu l'intuition de pressentir ce besoin spécifique de relationnel au sein des espaces de coworking destinés à accueillir une population particulière plus indépendante, mobile et flexible. Je me demande pourquoi il continue à me faire son numéro de visionnaire, alors qu'il n'en a plus rien à faire de moi, se demanda Sébastien. Il allait vite réaliser qu'il importait à Hubert de lui signifier que les transformations intervenues l'excluaient définitivement du jeu social.

Les travailleurs des temps modernes travaillent partout et à toute heure. Ils n'ont plus besoin comme vous d'un bureau permanent, ils disposent de leurs smartphones, de leurs ordinateurs qui permettent de consulter leurs agendas, de téléphoner, surfer, localiser, planifier. Hubert s'animait. C'est la génération Y et Z. Ils veulent tout réussir, vie pro et vie privée, en même temps, le boulot et l'intimité se mélangent, tout est visible, tout est transparent, plus de frontières, ni dans le monde, ni entre eux, ni pour eux dans leurs vies. Le temps éclairé de lumières artificielles devient uniforme. *Fais comme chez toi* au bureau c'est le mot d'ordre. Hubert s'extasiait, se posait en créateur de ce monde nouveau. Le soir, si nécessaire, ils restent pour une grosse nocturne afin de finaliser un projet, ils mangent ensemble des sushis avec du rosé ou du Coca. Les places disponibles ne sont pas toujours suffisantes dans ces nouveaux espaces, c'est le phénomène du surbooking. Il faut s'adapter, jouer des coudes pour faire sa place, j'en connais qui peuvent pisser et échanger avec New York en même temps. Hubert ricana. Je vous vois mal dans ce monde-là, mon pauvre Sébastien.

Le plus important c'est de mettre un bel emballage autour de tout ça, en faire un beau paquet cadeau. Bosser doit être fun pour répondre aux exigences de performance. Les relations deviennent plus complices, les couples intrabureau se multiplient, une fellation ou un cunnilingus permet de relâcher la pression. Tout doit se terminer par un *smiley*. Aujourd'hui, il faut enchanter le travail, c'est notre rôle de consultant et particulièrement celui de Martine.

Martine a fait ses preuves en Suisse, je l'ai donc nommée chef de projet de ce créneau très porteur. Par ailleurs présidente d'une de nos filiales spécialisées dans l'événementiel, elle est appelée à un bel avenir professionnel. Depuis votre retour, nous avons tous constaté qu'à l'inverse d'elle, vous êtes complètement dépassé. Votre situation bancale au sein de notre entreprise ne peut plus durer. Il en va de même de votre situation conjugale.

— Ma vie conjugale ne vous concerne pas. Agacé, HH haussa les épaules.

— Ne vous enfermez pas dans un juridisme étroit, hors de propos entre nous. Nous n'avons pas de temps à perdre. Il faut être réaliste, tout se tient, la situation professionnelle impacte la vie privée et vice-versa. En outre, je ne vais pas vous cacher que je me trouve maintenant concerné par la vie privée de Martine que ça vous plaise ou non.

— Vous avez couché ensemble c'est ça ?

— Vous êtes assez grand garçon pour faire les déductions nécessaires, évitons de tomber dans la trivialité des coucheries, s'il vous plaît.

Je reprends… Concrètement, du fait de sa situation professionnelle, Martine n'a plus besoin de votre salaire pour payer les échéances du crédit de votre appartement. Désormais, vous n'êtes plus d'aucune utilité pour elle ni pour votre employeur, vous accrocher devient une perte de temps et d'énergie.

Hubert ne quittait pas des yeux Sébastien devenu très pâle.

Après lui avoir laissé un temps de réflexion pour digérer cette conclusion, Hubert se leva. Il invita Sébastien à poursuivre l'entretien autour de la petite table dans le coin salon. « Nous serons plus à l'aise pour discuter entre hommes ».

— Vous avez pu observer que Martine s'est transformée. C'est à un point tel, qu'en réalité elle n'a plus rien à voir avec la femme que vous avez connue. Elle avait réfréné une ambition et une sensualité que vous ne pouvez pas imaginer. Vous avez vu les vidéos ? Cette femme nue qui s'expose divinement, c'est elle. Celle offerte aux loups, également.

— Je ne vous crois pas.

— Il est vrai que l'on ne voit pas les visages qui ont été floutés pour être postés sur Instagram. Cette diffusion a d'ailleurs rencontré un succès considérable. Il faut dire qu'elle avait fait l'objet d'un montage artistique par l'un de mes amis suisses. Les images trop choquantes pour les abonnés avaient été coupées. C'est devenu une véritable œuvre d'art que CMSE a pu insérer dans sa page d'annonce. Que les abonnés n'identifient pas Martine c'est compréhensible et préférable, mais vous, le mari, vous auriez quand même pu reconnaître le corps de votre femme. Il est à croire que vous ne l'avez pas beaucoup regardé. Pour vous convaincre, je vous fais une proposition. Je vous invite dans ma propriété de Rambouillet pour une projection privée de la vidéo originale avec toutes les scènes, tous les visages, tous les corps exhibés en nu intégral, sans fausse pudeur, dans l'expression complète de leurs désirs.

— Pas question.

— Vous avez tort, vous en auriez le cœur net. Je vous connais, vous allez croire que ces vidéos n'ont rien à voir avec Martine, que c'est un montage de ma part pour vous dégoûter d'elle.

— Vous en seriez bien capable.

— C'est vrai je suis capable de beaucoup de choses, sauf que ces images sont authentiques.

— J'en parlerai avec ma femme.

— Je crains que ce soit difficile pour vous de la voir en ce moment car sa présence m'est indispensable. Vous savez que pour les projets en cours je tiens à pouvoir rester en contact permanent, de jour comme de nuit, avec mes proches collaborateurs.

— Où est-elle en ce moment ? HH leva les yeux au ciel.

— De toute façon, elle n'osera jamais vous raconter ce qui s'est passé. Mon invitation peut vous paraître surprenante mais j'estime que vous avez le droit de savoir, vous êtes le mari après tout. Vous pourriez venir sans crainte car vous seriez bien reçu par mon épouse. Il se pencha vers Sébastien pour glisser à son oreille : « Virginie a toujours eu de l'indulgence à votre égard, je pourrai vous la prêter pour la nuit, si elle vous tente. Il faut être humain, je vous dois bien ça. Vous devez être en manque en ce moment ».

— C'est inconvenant et délirant. Je veux voir Martine un point c'est tout. C'est à elle de m'avouer ce qu'elle a pu faire. Quant à mon travail, vous aviez l'obligation de m'en donner dans des conditions décentes, au lieu de m'enfermer dans un sous-sol, il n'est donc pas question que je parte sans recevoir une indemnité. Vous avez pourri ma vie. Je préfère m'abstenir de vous dire ce que je pense de vous, ça se retournerait contre moi.

Sébastien parlait en proie à une grande nervosité. Il se levait, gesticulait dans tous les sens, s'asseyait en serrant les poings, se levait à nouveau… Il avait perdu tout contrôle.

— Calmez-vous Sébastien ce que je vous ai dit c'était pour votre bien, si vous déclinez mon invitation tant pis pour vous. Vous auriez pu voir la vérité en face et trouver une solution calmement. Il faut donc que nous en terminions ici et maintenant.

Il prit le bras de Sébastien pour l'immobiliser et il plongea son regard dans le sien.

— Écoutez-moi bien, concentrez-vous, vous êtes arrivé à la croisée des chemins. Vous n'avez devant vous que les solutions suivantes :

1. Vous persistez et vous finissez chez les fous.
2. Vous vous tuez.
3. Vous me tuez.

HH sortit un revolver qu'il posa sur la table. « Faites attention il est chargé. »

— Mon revolver. Comment se fait-il… ?

— Martine vous a vu avec cette arme. Elle a pris peur, craignant pour votre vie ou la mienne, car vous aviez proféré des menaces d'homicide me concernant m'a-t-elle dit. Dans son désarroi, ne sachant qu'en faire, elle m'a confié ce revolver. Prenez-le, il est à vous.

Sébastien avança sa main vers son revolver. Il le prit dans ses mains en tremblant. Il revit l'image qu'il avait souvent caressée de voir la gueule d'Hubert se décomposer devant lui. Pour une fois, la peur changerait de camp. La tentation était trop forte, il brandit le revolver le pointa en direction de HH en visant entre ses deux yeux.

26

Noël approche à grands pas.

Noël me fout les boules par l'innocence blessée. Déshabillé, fouillé, photographié sous tous les angles avec un carton anthropométrique entre les mains, on m'a pris mon portefeuille avec mon argent et ma carte d'identité, mon téléphone, ma montre, mes clés, ma ceinture, mes lacets, ma salive, mes empreintes… Ils m'ont assuré qu'on me rendrait tout ça à la sortie, sauf ma salive et mes empreintes. Quand la sortie ? Ils ne savent pas. Le policier en civil qui m'a reçu m'a précisé que la garde à vue était de 24 heures ou 48 heures selon les besoins de l'instruction, voire de 72 heures dans des cas limités. C'est le Procureur de la République qui décide.

La lumière blafarde du néon qui clignote devant mes yeux a remplacé les bougies du sapin. Le cauchemar d'aujourd'hui a enseveli la joie d'autrefois, je ne veux plus entendre parler de cette fête de Noël qui n'est plus que grimaces pour des morts-vivants.

Noël me fout les boules par mes enfants absents. La fête de l'enfance, sans enfant, est une imposture.

Sensation nauséeuse. Il flotte une odeur de sueur et de vomi. Je me sens sale et moite au sortir d'un sommeil comateux et agité, depuis combien de temps ? Je ne sais pas, j'ignore l'heure qu'il est. Le jour ou la nuit se confondent sous cet éclairage artificiel. Mes paupières se referment ; je n'ai pas envie de voir la cage blanche qui m'entoure avec sa glace Sécurit incassable contre laquelle je suffoque. Je plaque mes mains sur mes oreilles pour ne pas entendre les cris et les pleurs de mes voisins.

Hubert avait commencé par m'introduire dans l'ère du faux dans ses espaces collectifs camouflés sous l'emballage du vivre ensemble. Aujourd'hui, il me précipite dans une descente aux enfers. Cette fois, j'ai atteint le fond.

En garde à vue, mon cerveau tourne en boucle jusqu'à la folie. Il ressasse, il gamberge… Je l'avais mis en joue, Hubert, mais sans intention de le tuer. C'est ce que j'ai déclaré à l'officier de police. Cette arme posée devant moi comme une tentation, elle m'appartenait, je ne pouvais faire autrement que de m'en saisir. Je l'ai braquée dans sa direction pour le menacer, c'est tout. Le voir trembler devant moi me faisait retrouver ma dignité, ne serait-ce qu'une minute. J'étais porté par mon souvenir de gosse, stupéfait de voir les adultes se courber devant lui, quand il avait brandi le revolver de son grand-père.

J'étais tombé dans un piège. Je l'ai compris quand j'ai vu Hubert me regarder, sans broncher, avec un sourire méprisant.

Après, les événements se sont précipités. L'hôtesse a pénétré dans le bureau, prévenue par l'appel-secrétaire d'Hubert ? Elle a hurlé en me voyant avec le revolver braqué sur son patron. J'ai lâché le revolver. Des agents de sécurité m'ont ceinturé. La police n'a pas tardé à arriver. Ils m'ont passé les menottes. J'ai entendu autour de moi « c'est Sébastien Masson que la police embarque avec les menottes, il a voulu tuer le patron ! », de quoi nourrir leurs conversations autour de la machine à café pendant une bonne semaine. Un flic a annoncé dans sa radio-CB avec un air triomphant : « On est sur un flag, on embarque le type au commissariat. » J'allais comprendre que flag signifiait flagrant délit, entraînant une comparution immédiate devant le tribunal. Une aubaine pour la police et les magistrats qui peuvent se féliciter d'une justice rapide. En revanche, une perspective inquiétante pour le prévenu qui a toutes chances de récolter un enfermement pour un bon bout de temps.

Pour la première fois de ma vie, on me poussa sans ménagement dans le fameux « panier à salade » qui démarra en hululant à travers les rues du quartier de la Défense.

Un policier m'apporte deux biscuits mous et un bol de thé pour le petit déjeuner, ce doit être le matin. Cette nuit, j'ai tenté vainement de dormir enroulé dans une couverture qu'on m'a jetée. Je n'ai pas réclamé de somnifères par crainte de perdre mes moyens. Le « lâcher-prise » prôné par la Bhagavadgita ne m'a été d'aucun secours, la panique qui montait en moi, de me voir enterré vivant, m'interdisait d'accéder au détachement enseigné par Krishna. Comparé à ce petit réduit puant et gluant, couvert de graffitis, mon bureau en sous-sol à la Défense était un hôtel quatre étoiles.

À mon arrivée, j'avais été conduit dans le bureau d'un officier de police judiciaire décontracté qui m'avait informé, en toute simplicité, qu'il me plaçait en garde à vue. Il me fit signer la notification marquant l'heure du début de cette procédure. J'ai clamé mon innocence, c'est une erreur judiciaire, je ne suis pas un criminel, je n'ai pas eu l'intention de tuer le Directeur Général… Il m'interrompit : « Tranquillisez-vous, votre déclaration sera transcrite sur le procès-verbal d'audition. Je vous préviens que, de toute façon, vous passerez cette première nuit en cellule. Vous pouvez espérer sortir demain matin, sauf décision contraire du procureur. Voulez-vous faire prévenir un proche et votre employeur ? »

« Inutile, je n'ai plus de proche et mon employeur est au courant, vu que c'est lui qui m'a fait mettre au trou. »

« Désirez-vous l'assistance d'un avocat ? Si vous n'en connaissez pas, je peux vous en trouver un commis d'office ? » Je haussai les épaules. « Oui, si vous voulez ». Comme il commençait à téléphoner, je me ravisai : « Excusez-moi, j'avais oublié, je connais quelqu'un. » Je venais de me rappeler que la belle Sandra, dont je venais de faire connaissance par *rencontre de charme*, m'avait donné la carte de sa colocataire qui était avocate. « Donnez-moi son nom et son téléphone. »

« Elle s'appelle Esther, je ne connais pas son nom – soupir de mon interlocuteur – mais je peux le retrouver, sa carte est dans mon portefeuille que vous m'avez confisqué. »

Excédé, mon officier de police commençait à perdre sa décontraction, il appela un agent en uniforme qui revint avec une boîte contenant mes affaires. Je retrouvai mon portefeuille et me mis à chercher fébrilement à l'intérieur. Avec soulagement, je mis la main sur la carte que je tendis triomphalement à l'inspecteur : Esther Pontavés, avocate dans le cinquième arrondissement. Il téléphona aussitôt mais sans succès.

« Votre Esther n'est pas là, j'ai laissé un message d'avoir à me rappeler d'urgence, j'espère pour vous qu'elle n'est pas en train de faire du ski. Si je n'arrive pas à la joindre, je demanderais un avocat commis d'office. Je vous fais raccompagner en cellule. À plus tard ».

J'avais soif. Le flic de garde devait être très occupé car il ne revint qu'au bout d'une demi-heure avec un gobelet en plastique rempli d'un jus d'ananas tiède. Je pris ma tête entre les mains pour me soustraire à mon environnement peuplé de cafards et pour repousser ma claustrophobie montante. Pas de nouvelle de mon avocate, devenue ma seule lumière au bout de mon tunnel. Hantise d'être oublié dans ce trou. Pour dissiper ma peur, je continue de gamberger. J'ai besoin de comprendre ce qui m'arrive en analysant les événements dans leur chronologie. L'enfermement en nous obligeant à plonger dans nos tréfonds réveille nos capacités d'introspection.

Sur le terreau, du management financier poussent des plantes vénéneuses à l'apparence humaine. Manipulateurs hors pair, ils excellent dans la gestion des ressources humaines, variable d'ajustement permettant d'améliorer la profitabilité. HH représente un spécimen remarquable de cette espèce. Sous le couvert de réduire les coûts fixes pour améliorer le ratio de solvabilité, son activité de Conseil lui procure un champ d'expérimentation inégalé sur les êtres vulnérables qui ont le malheur de croiser sa route. Victimes de harcèlements, dépossédés de leur autonomie, ils partent à la dérive, leur vie gâchée ou même détruite. Il avait réussi à gagner ma confiance et ma reconnaissance, me jugeant capable d'être utile à son ascension sociale. J'étais devenu un instrument à son service qu'il appréciait, jusqu'au jour où, sans raison apparente, son comportement avait changé. C'était à l'époque où il s'était entiché de ses poissons qui lui apportaient détente et inspiration. La réputation que j'avais acquise dans le domaine de l'audit devait lui porter ombrage et le plaisir que je trouvais dans mon travail me rendait suspect à ses yeux, lui qui n'estime que les collaborateurs flexibles et sans attache. Il s'agaçait de me voir absorbé dans l'accomplissement de ma tâche, au lieu d'être à son service exclusif. Avant les vacances, nous étions invités, Martine et moi, à la pendaison de crémaillère de sa maison de Rambouillet. Au cours de la réception, il avait fait, devant moi, des propositions déplacées à ma femme, sous couvert d'une allusion égrillarde à son petit poisson rouge qu'il devait lui montrer. Je devais même accompagner Martine jusqu'à son bureau. L'idée de me voir lui offrir ma femme devait décupler son plaisir. Il s'arrogeait un droit de cuissage que j'étais tenu de satisfaire. Depuis, ma relation avec Martine s'était détériorée, la jeune fille rangée d'autrefois avait fait place à une femme acariâtre. Pendant nos vacances en Bretagne, Martine avait perdu sa libido, remplacée par une agressivité permanente. Je ne sais pas ce qui s'est passé dans sa tête, je suppose que l'adulation dont elle avait fait l'objet de la part d'un homme que nous admirions l'avait troublée et réveillée de possibles frustrations. À mon retour de vacances, il m'a confié le soin de m'occuper de ses poissons et d'entretenir l'aquarium. Cette besogne dégradante, je ne l'ai pas supportée. J'ai refusé de me laisser entraîner dans une suite d'humiliations. Je n'en pouvais plus, je me suis révolté sans réfléchir en me vengeant sur ses chers poissons que j'avais pris en horreur.

J'ai cru d'abord qu'il allait me mettre à la porte. Peu à peu, j'ai compris que ce n'était pas aussi simple. Je réalise maintenant qu'il m'avait condamné à mort. Une mort lente pour avoir le temps de se repaître du spectacle de ma souffrance à travers plusieurs morts successives : la mort professionnelle, la mort sociale, la mort sentimentale jusqu'à ce que la vraie mort s'ensuive. Le choix qu'il m'a laissé en me tendant le revolver est révélateur : finir chez les fous ou me suicider ou le tuer. La dernière option faisait exception, mais c'était un piège pour aboutir à la même solution finale.

Mon drame c'est la solitude. Il m'est difficile de faire partager mon analyse aux autres, même à ceux qui me soutiennent, sous peine d'être considéré comme paranoïaque. Certes, ils pensent tous, Nakache, Leroy le syndicaliste, Sandra… qu'il faut se défendre contre le cynisme et la dureté lorsqu'ils dépassent certaines limites mais la soumission à l'autorité est universelle, ils ne peuvent imaginer le comportement psychopathe d'un responsable qui, sous couvert de *bonne gestion,* chercherait l'agonie de l'un de ses collaborateurs.

Il était en train de parvenir à son but HH. La poursuite de mon enfermement me transformait en un mort vivant, à l'haleine fétide, aux jambes ankylosées…

Au bout d'un temps indéfini, je fus tiré d'un demi-sommeil cafardeux par l'officier de police venu m'annoncer que mon avocate venait d'arriver. Je disposais d'une demi-heure pour m'entretenir avec elle.

27

— Esther Pontavés… Sandra m'a parlé de vous, je suis venue dès que j'ai pris connaissance de l'appel du commissariat sur mon répondeur, désolée de ne pas avoir pu arriver plus rapidement, je plaidais en province.

— Bonjour, Maître, content de vous voir, je vous attendais avec impatience. Si vous pouviez me sortir d'ici au plus vite, j'en serais très heureux. Je suis devenu un linge sale, gêné de me présenter à vous dans un tel état.

— Ce n'est pas étonnant, sachez que la garde à vue a été conçue pour vous déstabiliser et vous faire parler. Je vais faire tout mon possible pour vous sortir de là, mais racontez-moi tout. J'ai consulté les procès-verbaux, votre Directeur Général a déposé plainte il prétend que vous avez sorti votre revolver au cours d'un entretien avec l'intention de le tuer.

— Pas du tout, je ne suis pas venu avec mon revolver. Il était en sa possession et il me l'a tendu pour me le restituer. Que pouvais-je faire d'autre que de le prendre ?

L'avocate lui lança un regard interrogateur. Derrière ses lunettes à fines montures d'écaille, ses yeux bleus examinaient Sébastien avec attention et curiosité. Elle était jeune mais déterminée avec un visage un peu anguleux au nez droit sous des cheveux coupés au carré. Son air sérieux rassura Sébastien.

Il tenta de lui expliquer que c'était sa femme qui lui avait dérobé son revolver pour le remettre à son patron. « Pourquoi ? » demanda Esther. Fatigué, Sébastien se rendit compte qu'il était incapable, dans le peu de temps dont il disposait, de décrire la toile d'araignée dans laquelle il se débattait. Crispé, il se montra confus. Il en arrivait même à bredouiller en se rendant compte de l'inanité de ses efforts.

Esther finit par l'interrompre pour lui permettre de se reprendre.

— Ne vous inquiétez pas, ça va se décanter après votre audition. Retenez pour l'instant qu'il ne faut pas que vous laissiez penser que c'était une tentative de meurtre, ce qui vous rendrait passible de la Cour d'Assises. Il faut également éviter que l'on ne voie dans votre geste qu'un flagrant délit vindicatif envers un patron. Le substitut pourrait sans état d'âme vous déférer en comparution immédiate devant un tribunal correctionnel. Vous n'échapperiez pas alors à une peine d'emprisonnement. Même si l'exposé en est difficile, vous devez insister sur les circonstances troublantes qui ont précédé l'entrevue. Au risque d'une procédure plus longue, votre intérêt est d'obtenir qu'une enquête approfondie soit diligentée. Je vous fais ces recommandations car durant l'audition je ne peux pas intervenir. Je n'ai le droit de faire des observations qu'à la fin.

Un flic vint annoncer que l'entretien était terminé, ils devaient le suivre pour être auditionnés par l'OPJ. C'est l'officier de police judiciaire, traduisit en souriant l'avocate. Ils montèrent au premier étage. Sébastien découvrit des photos épinglées un peu partout sur les murs, suspects en cavale ou disparus à rechercher dans l'intérêt des familles ? Pas le temps de s'interroger. À peine assis, l'OPJ cueillit à froid Sébastien en lui demandant ce qu'il lui avait pris d'avoir voulu trucider son patron.

— Non ! Je vous l'ai déclaré à mon arrivée, je n'ai jamais voulu tuer Hubert Hamlet.

— Ou le menacer ?

— Non plus.

— Vous vous foutez de moi Mr Masson, on n'entre pas dans le bureau de son patron un revolver à la main pour faire joujou.

— Sauf que je ne suis pas entré avec le revolver pour la bonne raison que c'est lui qui avait mon arme.

— Alors là vous dépassez les bornes, vous allez avoir le culot de renverser les rôles et prétendre que c'est votre patron qui vous avait convoqué pour vous tuer ou vous menacer ? Soyons sérieux, comment aurait-il pu être en possession de votre revolver ?

Le regard que l'inspecteur posa sur Sébastien exprimait la méfiance, une méfiance de bête de chasse qui flairait la fausse piste dans la traque de son gibier.

— Je ne le retrouvais plus chez moi et Hubert Hamlet m'a dit que c'est ma femme qui le lui avait confié par crainte que je ne fasse des bêtises.

— C'est lui qui vous a rendu votre revolver au cours de l'entretien ?

— Oui.

— C'est peu crédible ces échanges de revolver. J'aimerais savoir ce qu'il vous a dit au moment où il vous l'a restitué pour justifier un geste si inconsidéré de sa part.

— Je n'oublierai jamais la condamnation qu'il prononça avant de me tendre le revolver. Il m'a sommé d'en terminer. Je n'avais pas d'autres choix, selon lui, que de me tuer ou le tuer ou finir chez les fous.

L'OPJ se renversa en arrière avec un sifflement admiratif. Il était impressionné par cette sentence en forme de guillotine.

Sébastien continuait de parler sur sa lancée.

— Je précise que c'est lui qui m'avait convoqué, après m'avoir mis au placard et séduit ma femme pour la mettre sous sa coupe.

L'inspecteur lui fit signe d'arrêter son discours.

Il quitta sa veste, retroussa les manches de sa chemise pour être plus à l'aise. Tout en hochant la tête, il installa devant lui son gros ordinateur qui n'avait pas l'air de la dernière génération. « Avant de poursuivre, il faut déjà que je transcrive ce qui vient d'être dit pour le procès-verbal. » Avec l'air résigné du travailleur qui vient de se rendre compte qu'il n'en avait pas terminé, il commença à répéter, phrase après phrase, ce qui venait d'être dit, sous le contrôle de Sébastien, avant de l'enregistrer.

Alors qu'il venait de terminer, un collègue vint lui apporter un dossier qui contenait les autres procès-verbaux dressés dans le cadre de l'enquête préliminaire. Sourcils froncés, il en prit connaissance avant de communiquer le dossier à l'avocate.

— Bon, M. Masson une bonne nouvelle pour vous : Le revolver qui a été saisi sur les lieux n'était pas chargé.

— J'en étais certain ! s'exclama Sébastien… C'est la preuve que je n'ai pas voulu tuer Hubert Hamlet, vous allez donc me libérer ?

— Pas si vite, vous avez tout de même pu le menacer avec ce revolver. Même s'il n'était pas chargé, cela reste un acte délictueux. Et surtout… surtout, détail, votre directeur général prétend que l'arme que vous teniez à la main était bien chargée mais qu'il avait retiré les balles, avant l'arrivée de la police, pour éviter un accident. Les balles ont d'ailleurs été retrouvées dans le tiroir de son bureau.

Nous ne pouvons pas aller plus loin aujourd'hui car il faut que je faxe un compte-rendu au procureur de la République qui va décider de la suite de la procédure et de la prolongation ou non de votre garde à vue. L'audition est donc terminée.

L'inspecteur sortit un exemplaire du procès-verbal de son imprimante qu'il tendit à Sébastien « Relisez et signez en bas. »

— Maître Pontavés, avez-vous des observations à formuler ?

— Je voudrais savoir si le bureau du directeur général était équipé d'une caméra de vidéosurveillance et dans l'affirmative avoir connaissance des enregistrements. Elles devraient permettre de valider les déclarations de mon client en montrant qu'il n'était pas armé.

— Je ferais part de vos observations au procureur. En attendant sa décision, je suis dans l'obligation, M. Masson, de vous raccompagner en cellule.

Dans sa chambre où flottaient des odeurs d'huiles essentielles de pin et de thym qui se mêlaient à la senteur pénétrante du jasmin, sa fleur préférée, Virginie Hamlet, allongée sur son lit, un épais masque d'argile sur le visage cherchait à redonner à sa peau la tonicité de sa jeunesse. Depuis l'arrivée de Martine, son miroir lui répétait qu'elle n'était plus la plus belle dans son royaume. Pourtant, elle ne se trouvait pas si mal, dans sa cinquantaine bien conservée. Petite blonde délicate, bien en chair, elle faisait encore son petit effet dans les dîners. Il faut reconnaître que l'avantage d'être née Lamanière représentait un atout considérable. Son éducation lui conférait une distinction à nulle autre pareille. Depuis l'arrivée de l'intruse qui bénéficiait d'une taille mannequin, elle souffrait de la comparaison qui lui semblait ne pas être à son avantage. Hubert l'avait ramenée à la maison sous prétexte de la protéger de l'influence néfaste de son mari et de sa famille. Sébastien serait devenu dangereux. Il aurait même tenté de le tuer. Tout de même curieux de la part d'un homme qu'elle avait connu doux et timide. À son avis, il devait avoir perdu la tête depuis le jour où il avait commis le crime d'avoir noyé les poissons de son mari. Elle soupçonna qu'un autre motif pouvait avoir poussé Hubert à faire venir Martine. Il voulait l'avoir près de lui, à sa portée. Ses poissons au bureau et sa maîtresse à domicile, conditions idéales à l'éclosion de ses idées et à son épanouissement. Virginie se doutait bien que cette collaboration étroite ne s'arrêtait pas là. Exaspérée par le regard de vénération que Martine portait à Hubert, elle brûlait de savoir ce qui se passait quand il allait la rejoindre dans sa chambre. En parcourant le décor de sa propre chambre, à la Peynet, avec ses notes de musique encadrant des amoureux se tenant la main sous des tonnelles, elle se sentit réconfortée. Cette aventure n'aurait qu'un temps. Comme d'autres avant elle, cette chienne aux dents trop longues disparaîtrait comme la couche d'argile dont elle était en train de se débarrasser devant la glace de son lavabo. Il fallait seulement que cette situation ne s'éternise pas afin de retrouver au plus vite la vie confortable qu'elle menait auprès d'Hubert. En attendant, elle devait subir les lubies de son génial mari. Cette fois, il dépassait les bornes en lui demandant de se mettre entièrement au service de sa protégée. Elle devait la choyer pour qu'elle s'habitue à sa nouvelle vie… En levant les yeux, Virginie l'aperçut qui marchait sur l'allée de dallages blancs et noirs qui conduisait à la maison. Elle pensa : « J'aurais voulu être elle » en la voyant s'avancer avec élégance dans sa jupe trapèze en laine et soie. « Je parie qu'elle n'a rien mis dessous pour satisfaire au désir d'Hubert » Elle enviait ce corps de jeune fille que Martine avait conservé, sa peau si fraîche dont elle retrouvait l'odeur à chaque fois qu'elle s'approchait pour lui tendre son peignoir, à la sortie de son bain. Martine lui souriait alors de ce large sourire qui découvrait ses dents si blanches. Virginie, désarmée par ce sourire, était troublée. Elle ne pouvait s'empêcher de ressentir une attirance pour cette femme qu'elle rejetait. Son visage grave de vierge espagnole représentait son rêve de femme. Ce visage et son profil lui renvoyaient son image inversée.

Au début, Martine avait trouvé Virginie très froide. Elle avait détourné les yeux quand Hubert les avait présentées. À table ou dans le salon, elle baissait les yeux, se comportait en femme douce et soumise. Martine ne rencontrait jamais son regard. Manifestement, elle n'était pas la bienvenue, contrairement aux assurances qu'Hubert avait pu lui donner. Elle remarqua que, même hors de sa présence, Virginie conservait les yeux baissés. Peut-être fermait-elle les yeux également sur sa vie ?

Après le dîner, pendant que Béatrice, la domestique, desservait la table, ils passaient tous les trois au salon. Hubert parlait de l'activité de sa société, certainement par courtoisie envers sa femme, ce qui se justifiait d'autant plus que Virginie détenait une participation au capital. Il était question, sur la suggestion de Martine, de modifier la dénomination de CMSE (Conseil en Management et Stratégie d'Entreprise) qui deviendrait Consulting Management. Cette résonance plus tendance présentait également l'avantage d'être en adéquation avec l'évolution de la société qui diminuait son activité d'audit au profit du coaching. Martine mettait également en avant des idées pour améliorer la communication interne. Au bout d'un moment, Hubert se levait pour embrasser sa femme sur le front « Chérie, nous allons te laisser profiter de ta soirée et entamer, avec Martine, notre *brain storming* pour approfondir tout ça. » « Ne travaillez pas trop tard, demain une autre journée vous attend » Ces paroles n'étaient pas seulement ironiques. Virginie s'inquiétait réellement pour Hubert et pour son avenir à elle, avec un égoïsme tranquille. « Il ne peut pas passer ses nuits à baiser et ses journées à exercer ses fonctions sans risquer l'épuisement. »

Dans la chambre couleur miel, de larges coussins, bien ouatés, éparpillés un peu partout, autour d'un canapé, sur d'épais tapis de laine mettaient en valeur les estampes japonaises licencieuses du 18e siècle, de la période Edo qui garnissait les murs.

Après avoir encore échangé autour du renforcement des liens unissant les facteurs humains de production, Hubert s'arrêtait de parler. Il la regardait fixement. Silencieusement, elle s'étendait sur le tapis la tête posée sur un coussin. Elle gardait les yeux mis clos et attendait. Elle ne savait pas quel rite il inventerait ou même s'il resterait sans rien faire, immobile en face d'elle. Un sourire étrange se figeait sur ses lèvres. Elle soulevait lentement sa jupe pour découvrir son sexe qu'il regardait longuement. Pas de mouvement, sauf une oscillation imperceptible du bassin qu'elle ne pouvait réprimer. Elle savait qu'elle le fascinait ainsi, sans parole, sans tendresse. Elle devait respecter la règle de la soumission absolue…

Cette maison vivait de rites. Le matin, Martine prenait son bain et Virginie venait lui passer son peignoir. Martine lui avait souri, de ce sourire énigmatique qui éclairait son visage. Pour la première fois, Virginie avait levé vers elle des yeux bleus étonnés. Pour la première fois, ses yeux avaient rencontré les siens. De matin en matin, Martine s'amusait de voir son regard demeurer un peu plus sur son corps, ses mains venir maintenant l'essuyer, se hasarder près de ses seins et de ses cuisses.

Benjamin et Romane ne manqueront de rien en ce jour de Noël, dans la maison du Perreux de leurs grands-parents. Le sapin trône près de la fenêtre de la chambre de jeune fille de Martine que ses parents ont conservée intacte avec le papier peint à fleurs roses, les livres de la bibliothèque rouge et or alignés sur les étagères des meubles blancs, l'édredon dodu sur le lit. Ils ont découvert leurs jouets. Déjà, Benjamin a installé avec l'aide de son grand-père le train électrique qui fait le tour du sapin.

Pourtant les questions arrivent, inévitables :

« Pourquoi maman n'est pas là ? »

« Elle est invitée chez son patron. Elle ne pouvait pas refuser, sinon elle n'aurait plus de sous pour vous nourrir mes pauvres petits. On ne fait pas ce qu'on veut avec un patron. Elle pense beaucoup à vous. Elle va essayer de s'échapper demain pour venir vous embrasser. »

« Et, papa ? »

Les grands-parents se sont regardés. Il faut dire la vérité aux enfants a dit le grand-père.

« Il a fait des bêtises. Il est en prison mais il ne recommencera plus. »

Les enfants ont senti que tout était devenu soudain un peu plus lourd, un peu plus gris malgré le scintillement des bougies. Ils se souviendront leur vie durant du sentiment d'abandon qu'ils ont ressenti à cet instant.

28

Martine entra dans le *laboratoire d'innovation collective.* Elle se félicitait de cette appellation, proposée par elle et adoptée sans difficulté par le Comité de Direction, au moment où l'entreprise changeait de dénomination et d'orientation pour devenir *Consulting Management.* Martine se donnait ainsi une image de renouveau, condition essentielle pour s'imposer dans ses nouvelles fonctions, aux contours mal définis, censées promouvoir la convivialité et le bien-être au travail.

Elle serra les mains des six personnes assises autour de la table, nota avec satisfaction que la Direction de la Communication était représentée par ses deux responsables Béatrice Valmont pour la Com'externe et Noémie Biblot pour la Com'interne, preuve que la réunion n'avait pas été prise à la légère. La DRH était là également en la personne de Lepetit, qui affichait un sourire contraint masquant mal son ennui d'être obligé de perdre son temps à ce type de réunion, en raison de l'intérêt qu'Hubert Hamlet y portait. L'inévitable Briand, responsable coaching, cravate ouverte et cheveu en bataille, signe de l'activité déployé au service de la maison, était là lui aussi comme à tous les comités et séminaires. Il ne supportait pas d'être absent de la moindre réunionite, ce qui aurait correspondu pour lui à être mis sur la touche. Deux jeunes diplômées d'école de commerce, *Chief Happiness Officer* chez Airbnb et Kiabi, avaient été invitées par Béatrice Valmont, pour faire part de leur expérience. Elles devisaient, amusées, de relever les similitudes de leurs parcours respectifs.

Martine présenta son projet destiné à transformer le paysage entrepreneurial. Chaque salarié devrait, sans se faire repérer, prendre soin d'un ou d'une collègue. Chacun serait le protecteur de quelqu'un, tout en étant le protégé d'un autre. Cette expérience permettrait de favoriser la prise de conscience de chacun pour permettre un mieux-être au travail sous la responsabilité de tous.

Après un petit moment d'étonnement, les questions fusèrent. Martine s'y attendait. La réussite de ce type de réunion passait par la faculté de chacun de pouvoir s'exprimer. Elle écrivait sur un paperboard le résumé de chaque intervention, suivi d'un superbe point d'interrogation ; l'assemblée ne manquerait pas d'apporter des éléments de réponse. Elle listait les arguments, les « pour » en bleu, les « contre » en rouge. Elle s'étonnait elle-même de l'assurance dont elle faisait preuve. Depuis son voyage en Suisse, elle se sentait pousser des ailes. Parfois, fugitif, un doute la traversait. Sa réussite ne tenait-elle pas à sa proximité avec Hubert Hamlet ? Elle préférait ne pas s'attarder sur ce type de question parasite qui risquait de lui faire perdre pied. Une battante comme elle n'avait pas de temps à perdre en fioritures psychologiques. Il fallait pédaler, toujours pédaler, pour maintenir son équilibre et sa trajectoire.

Lepetit se montra réservé sur l'utilité de ce jeu pour le personnel. Martine répliqua, avec quelque impertinence, qu'un DRH ne pouvait pas se résigner à voir les salariés prendre des amphétamines au-delà des dosages autorisés ou risquer le burn-out sans tenter d'introduire de nouveaux comportements.

L'une des invitées vint la soutenir. Dans son entreprise, cet exercice salutaire pour le vivre ensemble était pratiqué avec succès sous le vocable « ourse et ourson ». Chacun était l'ours de quelqu'un tout en étant l'ourson d'un autre.

Il fut décidé que Martine rédigerait une synthèse de la réunion qu'elle présenterait au comité de direction. Pour terminer, on apporta des cagettes de fruits confits avec des jus de fruits et des eaux minérales. On parla, pour se détendre, des prochaines vacances scolaires. Hormis Richard Lepetit qui séjournerait en famille dans son domaine du Touquet, tous partiraient pour des destinations exotiques. Quand on a beaucoup travaillé, il est bien naturel de pouvoir s'évader loin de la Défense, pour décompresser, énonça Briand d'un air pénétré. Il faut se laver de tout le stress accumulé, renchérit Béatrice Valmont. « Et vous Martine ? » Elle ne savait pas encore. « Et votre mari ? Avez-vous de ses nouvelles ? » Elle hésita un instant, non elle n'avait pas envie de dire qu'ils étaient séparés. Pas envie de répondre aux questions, un autre jour peut-être… Elle choisit d'esquiver « Non, elle ne l'avait pas vu ces derniers temps, il avait pris un congé pour aller voir sa mère ». Elle remarqua alors leur embarras, leur hésitation. Elle sentit qu'ils auraient aimé dire des choses sans les dire. Ils n'osaient pas aller trop loin, c'était délicat. Ils attendaient qu'elle leur parle, c'était à elle de le faire après tout. Des regards de connivence s'échangeaient. Ils repartirent désappointés de ne pas avoir obtenu un scoop. Martine comprit qu'on lui cachait quelque chose de grave concernant Sébastien.

En pénétrant dans le salon de Rambouillet, elle fut surprise de trouver Hubert et Virginie, en compagnie d'un invité, devant une bouteille de Taittinger millésimé qui l'attendait au frais. Elle fut contrariée d'avoir à remettre à plus tard les questions qu'elle aurait voulu poser à Hubert concernant Sébastien. Ils se levèrent tous à son arrivée. Hubert la présenta comme *happiness* manager et présidente de la société, filiale chargée de l'événementiel. Samuel Goldshmit était venu de Suisse sur la recommandation d'Antoine Gilles, l'avocat de Genève. Petit, avec un ventre proéminent qui tendait sa chemise et que sa cravate rouge qui tombait jusqu'à la ceinture ne parvenait pas à dissimuler, il déclara être intéressé par le coaching personnalisé *investir pour s'investir* proposée par *Consulting Management* à l'intention des hommes d'affaires. Ses petits yeux aux aguets, toujours en mouvement, virevoltaient derrière des lunettes rondes. Il était désireux de retrouver le goût du risque sur les marchés financiers, perdu depuis la crise des subprimes. Aujourd'hui, il ne supportait plus de voir passer sous son nez des opportunités de plus-values. Il perdait de l'argent en le laissant dormir. Sa passivité le rendait malade. Il en perdait le goût de vivre et déprimait. Après avoir pris une goulée de champagne pour se remettre, il conclut sur la nécessité d'avoir un coach à ses côtés pour lui redonner confiance. Virginie le rassura en lui tenant un discours sur la *positive attitude* qu'il fallait acquérir pour repartir à la conquête des marchés. Elle si timorée se muait soudain, à la surprise de Martine, en une femme du monde pleine d'aisance dans son tailleur Chanel. Elle savait tenir son rôle quand elle recevait. Son enfermement habituel dans un égoïsme tranquille n'était peut-être qu'un masque, pour se protéger, se dit Martine. La gestion du stress est une partie importante de notre proposition de coaching, déclara Hubert, qui proposait de faire intervenir Martine pour quelques séances de relaxation, en binôme avec Briand qui serait le coach principal. Martine se souvint alors qu'Hubert lui avait parlé de ce Samuel Goldsmit comme d'une personne qui pesait lourd en dollars. Sa participation financière était recherchée par l'une des hedge funds, fonds spéculatifs domiciliés aux îles Cayman. Évidemment, si ce Samuel décidait d'investir le gérant du fonds, avait promis d'arroser Hubert. Il était question de 2 % sur les sommes investies. Martine s'aperçut que les petits yeux du bonhomme lorgnaient souvent vers sa jupe en coton qui montait haut sur ses cuisses. Elle soupçonna Hubert de lui avoir soufflé qu'elle ne portait pas de petite culotte. Chatte et poissons se complétaient pour déconcentrer ses interlocuteurs dans les négociations. Œillade d'Hubert. Afin de répondre à sa demande, elle consentit, une seule fois, à croiser les jambes pour laisser entrevoir, comme par mégarde, une partie de son intimité. Elle ne craignait pas trop les assauts futurs du petit homme, Hubert lui ayant assuré qu'il l'avait présentée comme intouchable. Loin de copier la provocation de Sharon Stone, elle gardait un comportement réservé et passa le reste du temps à tirer sur sa petite jupe. Après avoir échangé sur le programme de coaching, Samuel Goldsmitt prit enfin congé. Il était conquis et se réjouissait par avance de sa prochaine rencontre avec Martine.

De retour au salon après dîner, elle commenta sa rencontre *d'innovation collective,* et interrogea Hubert : « À la fin de la réunion, à mon grand étonnement, on m'a posé des questions embarrassantes sur Sébastien. Savez-vous pourquoi ? »… Virginie avait soudain levé la tête. Pour la première fois, elle ne baissait plus les yeux pendant leur conversation. Hubert prit la main de Martine, ses yeux plongés dans les siens. Elle ressentit immédiatement son pouvoir pénétrer en elle, en même temps que ses paroles : « Je n'ai pas voulu t'en parler pour te tenir à l'écart de tout ça. Sébastien a voulu m'assassiner ».

— Je ne le vois pas en train de faire une chose pareille.

— Rappelle-toi, il avait proféré cette menace quand tu l'avais trouvé avec son révolver.

— Comment ? Qu'est-ce qu'il a fait exactement ?

— Il est entré dans mon bureau et m'a menacé avec son arme.

— Comment est-ce possible ? Je ne comprends pas. Rappelez-vous Hubert, je vous avais confié ce révolver, justement pour ne pas qu'il puisse s'en servir, ni contre lui ni contre vous.

— Mais non Martine, tu as voulu le faire mais tu ne l'as pas fait. L'arme était restée à Champigny, à votre domicile.

Hubert continuait à la fixer, une étincelle froide dans les yeux. Son visage s'était figé. Il était devenu quelqu'un de glacial et de menaçant. Elle ne répliqua pas. Un lourd silence s'abattit. Inquiète, Virginie les regarda l'un et l'autre.

Brusquement, Hubert se leva. La soirée au coin du feu était terminée. Il prit congé de son épouse hâtivement et entraîna brutalement Martine vers sa chambre.

29

Elle était debout, adossée au mur de la chambre, les yeux fermés pour échapper à son regard inquisiteur. Martine appréhendait le passage à la question qui se préparait. Jusqu'où Hubert en pousserait-il les limites ?

Habituellement, il s'allongeait sur le canapé, Martine, à ses pieds, sur un coussin. Elle lui préparait un cocktail de sa composition et se servait un whisky. Dans la pâle clarté d'une lumière tamisée, elle se laissait gagner par la langueur d'une musique feutrée. Quand l'envie s'emparait d'elle, Martine se dressait longue et féline. Mû par un irrépressible besoin, son corps se mettait à onduler comme un roseau au souffle du vent. Les pieds presque immobiles, elle se laissait bercer par le rythme de la musique, elle en épousait la moindre note. Touchée par la grâce, déesse antique, extatique et superbe, elle s'enveloppait de la musique qui collait à sa peau. Ne pouvant supporter nulle entrave, elle se débarrassait de ses vêtements d'un geste vif et gracieux. Elle dansait nue devant Hubert, tout près de lui pour qu'aucune partie de son corps ne lui échappe. Il avait une faim insatiable de sa nudité qui la remplissait de fierté et lui laissait croire qu'elle avait un pouvoir sur lui. Comme un animal pris dans la lumière, elle ne pouvait plus s'arrêter, elle aurait pu danser toute la nuit.

À un signe de lui, pourtant elle se bloquait. Encore frémissante, elle venait s'échouer à ses pieds, beauté soumise, visage tourné vers lui le regard implorant pareil à celui d'un chien. Il bandait, tout en conservant une attitude distante. Elle se glissait près de lui, muse de la nuit, murmurant à son oreille des paroles décrivant des métamorphoses de lubricité, en même temps qu'elle léchait toutes les parties de son corps qu'elle dénudait progressivement. Les jours où il voulait la récompenser, il explorait ses zones érogènes, méticuleusement, avec une infinie délicatesse. La montée du plaisir la faisait gémir doucement.

Pris par une hâte soudaine d'éclaircir une situation ou un comportement qui le tracassait, il lui arrivait d'interrompre brutalement ces instants de délectation. C'est dans sa vie plus que dans son corps qu'il voulait pénétrer afin de traquer ses moindres pensées, conduit par le besoin impérieux d'interférer dans ses réflexions, ses sensations, ses décisions.

Au début, elle était flattée de voir un manager important se passionner par la découverte de sa personnalité, d'autant plus que son intuition lui permettait de trouver les mots qui la persuadaient que, lui seul, était capable de la comprendre. Son ascension sociale rapide lui confirmait qu'elle avait eu la chance de séduire un patron situé à un échelon élevé de l'échelle sociale, capable de la sortir de son trou. Maintenant s'insinuait en elle la sensation de ne pouvoir exister que par lui. Soumise à un examen de conscience permanent, quasi religieux, elle était devenue, sans s'en rendre compte, incapable de penser par elle-même. Depuis Vevey, il lui arrivait de se demander si la Martine qu'elle voyait vivre n'était pas son double, une copie d'elle-même, capable de s'avilir dans des rôles contraires à sa véritable nature. Force était de constater que cette copie non conforme prenait le dessus, lui échappait, l'emportait sur elle-même. Elle craignait confusément que la perpétuation de ce phénomène n'aboutisse à provoquer une tension, un conflit intérieur, source d'une perte d'équilibre.

Martine découvrait avec appréhension, la profondeur de la haine qu'Hubert nourrissait envers Sébastien. Leur chemin s'était séparé sans qu'elle nourrisse un désir de vengeance à son égard. Certes, Sébastien ne l'avait jamais comprise et elle s'était irritée de sa passivité jusqu'à le mépriser parfois. Elle aspirait à une autre manière de vivre, c'est tout. La comparaison avec Hubert l'avait persuadée que Sébastien était demeuré un homme timide et gauche, incapable d'assumer sa réussite, manquant d'envergure. Pour autant, contribuer à le faire condamner injustement la plongeait dans un profond malaise. Cette histoire de revolver venait empoisonner sa relation avec Hubert. Il ne supportait pas qu'elle manifeste la moindre réticence à le suivre.

Ce soir, il n'y aurait pas de musique ni de lumière tamisée. Il lui ordonna de se mettre à genoux les mains derrière le dos, comme à Vevey devant le lac, histoire de lui remettre en tête cet épisode. Pas la peine de te déshabiller, on ne va pas s'amuser la prévint-il, ce dont elle ne doutait pas en le voyant tourner autour d'elle d'un pas saccadé qui n'avait rien de rassurant.

Elle avait peine à dissimuler la peur qui montait en elle. Elle transpirait. L'âcre parfum de sa sueur montait aux narines d'Hubert et l'excitait.

Sur un roc escarpé, Roi, expose Psyché, pour un hymen de mort avec un monstre cruel.

Hubert revint sur le pacte sacré qu'ils avaient noué à Vevey. Sa transgression serait un sacrilège. Il pointa un doigt pour lui signifier que le plaisir qu'elle lui donnait ne lui créait aucun droit. Il se remit à tourner autour d'elle pour lui annoncer qu'après sa mise au placard dans un sous-sol, Sébastien devait subir l'enfermement dans une prison. Hubert lui rappela que leur pacte prévoyait l'abolition de sa vie privée, il était donc exclu qu'elle cherche à sauver ce type qui ne serait bientôt plus son mari. Hubert se dit impatient de voir comment Sébastien allait supporter cette nouvelle épreuve. Sa vie valait moins que celle des poissons tués par lui. Sa déchéance allait se poursuivre inexorablement, il venait d'escalader une marche qui devrait lui être fatale en ayant tenté de l'assassiner.

— Tu vas être interrogée dans le cadre de l'enquête et, sous aucun prétexte, tu ne dois te mettre en travers de mon chemin. Pourquoi soutiens-tu que tu m'avais apporté le revolver ?

Elle ouvrit les yeux et le regarda étonnée et inquiète.

— Parce que… parce que… C'est la vérité.

— Quelle vérité ?

Il avait arrêté de marcher pour se figer, raide de réprobation. Il la regardait fixement, les sourcils froncés dans l'effort qu'il semblait manifester pour comprendre une demeurée. Comme elle ne répondait pas, il reprit :

— Vous devriez savoir que *la* vérité n'existe pas… Il existe *des* vérités, on apprend cela en philo. À chacun sa vérité. Ma vérité doit être la vôtre. Il vous suffit d'y croire. Pour moi, Sébastien est entré dans mon bureau avec son arme et il m'a menacé. Si ma secrétaire n'était pas entrée à ce moment, je ne serais plus là à vous parler. Elle l'a vu, de ses yeux vu, l'arme à la main dirigée vers moi, son témoignage est accablant pour Sébastien.

Il se radoucit pour ajouter qu'il voulait bien comprendre que sa mémoire lui jouait des tours. Vous ne m'avez jamais rapporté ce revolver. Sébastien ne pourra pas prouver le contraire. Peut-être y avez-vous songé mais vous ne l'avez pas fait, c'est ce qui importe. On vous croira aisément, d'autant plus que venir me donner ce revolver apparaîtrait un peu bizarre. En définitive, ce n'était pas compliqué, elle n'avait rien à dire, sauf qu'elle avait entendu son mari manifester son intention de le tuer…

— Avez-vous compris ?

Elle garda la tête baissée et ne répondit pas.

— Bon, Madame fait la sourde oreille… Je vais procéder autrement en l'invitant à un travail de mémoire.

Elle eut la perception d'un danger imminent, d'être au bord d'un précipice.

Il s'assit confortablement dans un fauteuil, alluma une cigarette et la regarda longuement. Il tournait le dos à la porte et ne pouvait pas remarquer que celle-ci s'était ouverte imperceptiblement. Martine eut la sensation que quelqu'un devait écouter.

— Tu étais dans cette position devant le lac Léman. Belle et offerte dans la pureté de ta nudité, t'en souviens-tu ?

(Cette évocation l'amenait à reprendre le tutoiement)

Tu t'étais retournée et c'est avec surprise que tu t'étais retrouvée avec mon sexe dans ta bouche. Gênée, mais au fond ravie, tu l'avais sucé avec l'application maladroite d'une petite fille. Ton innocence chez une femme de ton âge m'avait ému. J'étais comblé de trouver en toi la femme translucide peinte par Gustave Moreau. Tu parvenais à sublimer ma jouissance.

Aujourd'hui, je dois te faire un aveu : je n'ai pas résisté à l'envie de te photographier pour conserver cette image.

— Vous m'aviez assuré que seul le lac me regardait, ce sont vos paroles. J'ai cru que nous étions seuls. Vous m'aviez caché l'existence de votre appareil-espion. Vous m'avez trompée.

— Je le reconnais mais le désir de conserver ton image a été le plus fort. On ne sait jamais ce que la vie nous réserve, tu aurais pu devenir, comme beaucoup de femmes, infidèle et ingrate.

— Je devine également que le regard dissimulé de votre appareil me réduisait à un objet, ce qui vous procurait une jouissance supplémentaire.

Elle était au bord des larmes, criait et se tortillait comme si elle cherchait à se défaire des liens invisibles qui la maintenaient à genoux, les mains derrière le dos.

Devant son désarroi, Hubert se mit à ricaner content de porter un nouveau coup qu'elle n'attendait pas.

— Et ce n'est pas fini. La nuit des loups dans la chambre à miroirs, elle a été filmée également…

Hubert tira une longue bouffée satisfaite de sa cigarette tout en dévisageant Martine pour y lire l'affolement de l'animal piégé.

— Un réalisateur a fait un montage artistique réunissant ces deux scènes en une seule. Le sujet est magnifique : la femme ouverte à la nature dans la pureté de sa nudité devient la proie des loups. Cette vidéo a fait l'objet d'une diffusion très remarquée sur les réseaux sociaux. Je te rassure, les visages ont été floutés et les images trop choquantes ne figurent pas. Par contre… sur l'original, ton visage tourné vers le lac apparaît dans toute sa beauté. Même s'il n'est pas visible dans la chambre, où tu es allongée dans l'obscurité, on te devine et la bacchanale des loups avec leurs bites expressives qui se reflètent dans les miroirs nous plonge dans la fascination d'une messe noire sacrificatoire.

Hubert avait pris un ton d'une étrange douceur pour annoncer comme à regret à Martine les menaces qui l'attendaient.

Nos amis de Vevey ne cessent de me réclamer cette vidéo pour agrémenter leurs soirées. Il faut dire que les soirs d'hiver sont d'un grand ennui dans les montagnes suisses. J'ai refusé jusqu'ici, pour te protéger. Ils m'ont assuré qu'elle serait visionnée en comité restreint, mais je ne me fais pas d'illusion, dans ce petit monde je suis certain que quelqu'un ne résisterait pas un jour à la tentation de la diffuser sur les réseaux sociaux. À partir de ce moment, le phénomène de contagion serait tel qu'elle ne tarderait pas à être visionnée et à venir t'éclabousser chez *Consulting Management.*

— Vous aussi seriez concerné, on vous voit également, n'est-ce pas ? dit-elle d'une voix tremblante d'espoir.

— À vrai dire, on voit peu mon visage. Même si l'on me reconnaissait, ça n'irait pas très loin. La société est injuste. Comme pour beaucoup de grands de ce monde, chefs d'état, chefs d'entreprise ou footballeurs, on parlerait d'un amateur de femmes à qui on reconnaît le droit d'avoir de nombreuses conquêtes, ce qui reste presque flatteur. On rirait sous cape, c'est tout. Il n'en irait pas de même pour toi. Imagine les conversations, les chuchotements sur ton passage, les plaisanteries salaces devant la machine à café, les commentaires malveillants, les sourires ironiques, peut-être même, les lettres d'injures anonymes. Tu deviendrais la putain de la direction générale qui ne doit sa réussite qu'à son cul. Ce serait intenable. Tu perdrais confiance en toi. Cette réputation te collerait à la peau, mettrait fin à ta carrière et te conduirait à la porte. Il ne te resterait plus qu'à rejoindre ton Sébastien pour former un couple de paumés. Le pire, c'est que tes parents et tes enfants pourraient être touchés par cette vague puante.

Sans lui laisser le moindre répit, Hubert se leva brusquement, la plaqua au sol. Il se dressa au-dessus d'elle, la maintenant entre ses genoux serrés. Vaincue, elle renonça à se débattre.

Il souleva sa jupe.

— Je pourrai pénétrer dans cette chatte, dans ce corps qui m'appartient. Je ne le ferai pas, tu pourrais jouir ce qui gâcherait la portée de ma leçon.

Elle demeurait tendue, les yeux clos, elle attendait qu'il disparaisse.

— Je te laisse avec l'avenir entre tes mains. Tu choisis de périr ou de réussir ta vie avec moi.

30

La chambre à miroirs émergeait maintenant de sa nuit pour lui apparaître comme une mystification. Éblouie et perdue dans son mirage et dans l'ivresse, elle s'était abandonnée au plaisir les yeux fermés, jusqu'à l'aveuglement comme Hubert le lui avait prescrit, enveloppée dans un sortilège qui l'avait dépouillée de ses vêtements et de sa clairvoyance. L'illusion venait de se dissiper. Derrière le mythe de Psyché visitée par un inconnu sans visage se dissimulait l'obscène réalité de trois hommes hypocritement cachés sous des masques pour abuser d'elle en toute impunité. De ce monde de « jouissance insoupçonnée » ne restait que des couilles et des queues. De ce mélange de plaisirs et de honte, ne subsisterait que la mémoire du dégoût qui s'imprimerait définitivement en elle.

Les portraits de ses « amis » de Vevey défilaient, grimaçants et grotesques, que le reflet des miroirs renvoyait cabossés sous des masques qui se déformaient sans cesse pour passer du grognement de pourceau jusqu'au ricanement de l'animal repu.

À l'instant où Hubert quitta enfin sa chambre, la nausée monta en elle, la précipita vers les toilettes, la tête dans la cuvette, le corps tordu de vomissements et de sanglots. Un odieux chantage s'ajoutait à l'humiliation. Il lui imposait la trahison, le silence coupable. Ne rien dire de ce revolver qu'elle avait cru prudent de confisquer à son mari pour lui apporter à lui, son patron et son guide, cet amant en qui elle avait mis toute sa confiance. Son geste lui apparaissait aujourd'hui d'une incroyable stupidité mais le cacher précipiterait Sébastien en prison. Comment le regarder plus tard en face ? Comment répondre un jour à ses interrogations et à celles de ses enfants ?

Elle devait cependant se l'avouer, au risque d'être damnée, le choix de la droiture lui était interdit. Cette menace de se voir exposée nue et livrée sans défense aux sarcasmes de tous, sous les regards de ses collègues et de sa famille, lui était insupportable. Elle serait couverte de honte pour le restant de ses jours. Dans les couloirs des bureaux, dans les rues et les maisons, elle marcherait en baissant la tête, marquée à jamais par le mépris. Elle n'y survivrait pas.

Quand Hubert était au-dessus d'elle, dans sa domination méprisante, elle aurait voulu qu'il disparaisse à jamais. Ce désir s'était imprégné en elle, il continuait de faire son chemin, il la poursuivait désormais nuit et jour, elle ne pouvait plus l'écarter. Qu'il disparaisse constituait la seule issue. La disparition d'Hubert lui rendrait sa liberté, elle libérerait sa parole, elle lui permettrait de témoigner en toute sincérité. Il n'était pas question de mettre fin à ses jours, elle s'en sentait incapable. Une autre solution germait dans son esprit. Les documents dont elle avait pris la photo dans le chalet d'Antoine Gilles à Vevey, elle pourrait les exploiter, les envoyer à la police. Anonymement bien sûr, elle ne pouvait imaginer sans terreur de provoquer le moindre soupçon chez Hubert. C'était tentant. D'une main innocente, elle déposerait une enveloppe dans la boîte aux lettres et, bingo ! Hubert et ses copains se retrouveraient derrière les verrous. Elle avait examiné les protocoles. Ils prévoyaient des commissions à plusieurs zéros qui avaient tout l'air d'être des pots-de-vin pour décrocher, non seulement le marché de formation *Milknes,* mais aussi d'autres marchés conclus par l'intermédiaire de *Consulting Management.* Des règlements de services événementiels plus ou moins fictifs devaient suivre. Elle apprendrait qu'il s'agissait de rétrocommissions. Ignorante de ces matières, elle avait posé quelques questions à un avocat ami de son père, en prenant soin de ne donner aucun élément d'identification. Il lui avait confirmé que ces montages couvraient des délits financiers qui s'appelaient blanchiment, trafic d'influence, détournements de fonds, corruption… Il l'avait regardé avec inquiétude en lui demandant si elle avait besoin de ses services. Elle l'avait rassuré, non, elle n'était pas directement concernée. Il lui avait conseillé de se tenir à l'écart de toutes ces manipulations douteuses susceptibles de la contaminer, « méfiez-vous ça peut arriver parfois sans qu'on s'en aperçoive... » Son discours l'avait fait réfléchir, n'était-elle pas compromise en tant que présidente de cette société chargée, en théorie, d'organiser des événements ? Des virements pour des services fictifs avaient transité sur son compte. Ce n'était peut-être pas si grave dans la mesure où elle montrerait qu'elle n'avait joué qu'un rôle de simple prête-nom, comme ils disent dans le milieu financier, manipulée et complètement ignorante de ces opérations. Elle serait quand même mouillée s'il apparaissait qu'elle avait touché de l'argent. C'était en liquide certes, mais une enquête comportant une analyse comptable et des interrogatoires pourraient le révéler... L'arroseur arrosé. Aurait-elle le courage de prendre ce risque ? En attendant de prendre sa décision, elle prit la précaution de transférer les textes sur une clé USB.

Elle ne bénéficia d'aucun répit pour réfléchir. Hubert lui demandait de rejoindre la Défense pour reprendre son travail, bien qu'elle fût manifestement incapable d'élaborer le moindre projet. Elle devait mener à bien son programme de coaching auprès de Samuel Goldshmit et rien ne justifiait selon lui un arrêt de travail qui ne ferait que l'enliser dans sa léthargie.

À peine installée dans son bureau, elle reçut un appel du commissariat qui lui demandait de passer, dans les plus brefs délais, car elle n'avait pas donné suite à une convocation à témoin envoyée à son domicile. Prévenu, Hubert, désireux de maintenir la pression, décida de l'accompagner, prétextant sa grande faiblesse. Il est vrai qu'elle était tombée dans un tel état d'hébétude qu'elle pouvait à peine marcher. Pendant le trajet, il l'entraîna avec une telle énergie qu'elle posait à peine les pieds sur le sol. C'était Hubert qui marchait à sa place.

L'OPJ, le même que celui qui avait interrogé Sébastien, observait Martine toujours derrière son gros ordinateur ancienne génération. Il n'était pas à l'aise en face de cette femme absente à elle-même qui peinait à articuler et butait sur chaque mot.

D'emblée, elle avait tenté de se soustraire à l'interrogatoire, avec des gesticulations désordonnées pour suppléer à des mots qui s'étouffaient au fond de sa gorge. Elle ne savait rien, elle ne savait rien, c'est tout ce qu'il comprenait de son discours.

— Je vous en prie madame, faîtes un effort, votre témoignage est capital. Avez-vous vu, oui ou non, un revolver entre les mains de votre mari ?

— Oui, oui, je me souviens vaguement. Il m'a dit que c'était le revolver de son grand-père…

— Votre mari prétend que ce revolver avait ensuite disparu. C'est avec surprise qu'il l'a retrouvé plus tard en possession de votre patron dans son bureau à la Défense. Selon votre mari, c'est vous qui l'auriez rapporté à votre patron. Est-ce exact ?

Les yeux ouverts sur un vide abyssal, elle ne sut que répondre qu'elle ne comprenait pas cette question.

— C'est pourtant clair. Rappelez-vous, quand vous avez vu votre mari avec cette arme vous avez dû avoir peur qu'il ne s'en serve ?

— Oui, bien sûr, je n'aime pas voir une arme à feu chez moi, un malheur est si vite arrivé.

Elle était au bord des larmes.

— Il est donc possible que vous l'ayez confisqué à votre mari pour éviter un malheur comme vous dîtes. Ensuite, ne sachant qu'en faire vous avez pu avoir l'idée de le rapporter à votre patron ?

— Je ne me souviens pas d'avoir fait une chose pareille. Elle murmurait plus qu'elle ne parlait. L'OPJ tendit l'oreille.

— Pouvez-vous répéter s'il vous plaît ?

Elle répéta avec une voix qui semblait ne pas lui appartenir, tant le son était déformé.

— Je ne me souviens pas d'avoir fait une chose pareille.

— Qu'avez-vous dit à votre mari, en le voyant avec ce revolver ?

— J'ai dû lui dire de faire attention à lui pour sa vie, qu'il ne fasse pas de bêtises.

— Qu'elle a été sa réponse ? Il paraît que votre mari aurait déclaré que c'est contre son patron qu'il comptait s'en servir. C'est vous-même qui auriez rapporté ces propos à Monsieur Hamlet.

— Je ne sais pas ce qu'il a dit exactement, c'était confus… Écoutez, Monsieur l'Inspecteur, je voudrais qu'on arrête. J'en ai assez. Je ne suis pas bien. Cette histoire est en train de me faire perdre la tête.

L'OPJ en avait également assez. Il clôtura l'audition et imprima le procès-verbal. Il prit le feuillet avec une telle précipitation qu'il le déchira. Il fut obligé de recommencer. Il relut rapidement à voix haute et la fit signer.

Elle partit en flageolant sur ses jambes. Perplexe, l'OPJ la regarda s'en aller. Il se demanda si elle n'aurait pas abusé de psychotropes. Il faudrait qu'il ajoute un appendice au procès-verbal à l'intention du procureur sur les conditions de cette audition.

À la sortie des locaux du commissariat, Hubert l'attendait. Il l'embarqua en voiture pour la ramener dans sa maison de Rambouillet.

C'est avec une satisfaction mitigée qu'Hubert prit connaissance du procès-verbal par l'intermédiaire de son avocat. L'essentiel demeurait qu'elle n'avait pas reconnu lui avoir remis ce revolver ce qui permettait à sa plainte de continuer à prospérer. Tout juste passable. Le manque de conviction de Martine le décevait et l'agaçait au plus haut point. Il se rendait compte qu'elle perdait pied et craignait qu'elle l'abandonne par le biais de la maladie. Il tenait à la conserver près de lui, pour la suite de la procédure et pour ses affaires, s'y ajoutait, il devait le reconnaître, le plaisir rare qu'elle lui procurait en accédant à tous ses désirs jusqu'à se renier. Quelques douceurs seraient les bienvenues. Il reviendrait sur les interdictions données les jours précédents à Virginie de faire le nécessaire pour rendre son séjour agréable. Sa femme se mettrait à nouveau au service de Martine. Il devinait qu'elle le ferait volontiers, ce qui le surprenait. Au début, il avait imaginé que l'humiliation qu'il lui imposait d'avoir à servir sa maîtresse installée dans leur maison serait insupportable pour Virginie. Une situation cocasse qui ne manquait pas de sel. À l'évidence, elle obéissait sans regimber, à croire qu'elle y prenait même plaisir… Il en éprouvait un certain désappointement. Il n'aimait pas que les êtres agissent en dehors de ses prévisions.

Martine avait rendez-vous avec Samuel Goldshmit dans sa suite à l'hôtel Crillon. Elle était chargée d'alléger le stress de cet homme qui pesait lourd en dollars, de lui procurer un sentiment de confiance et d'ouverture envers les opérateurs des marchés financiers. « Préparer le terrain » s'intitulait cette première partie de mise en condition. L'objectif consistait à le décrisper, lui faire abandonner sa rigidité prudentielle afin de le libérer de son surplus de dollars. Il fallait faire pousser les jeunes pousses des économies innovantes. Le protocole de *Consulting Management* prévoyait parallèlement la consultation d'un neurologue de l'Institut de psychologie cognitive pour contrôler les mesures de cortisol et d'anxiété de Samuel Goldshmit à chacune des avancées du programme.

La cible devait se rendre réceptive au guidage stratégique conduit par *Consulting Management* dont les recommandations devaient orienter Goldshmit vers des placements lucratifs financièrement et fiscalement. Pour la plus grande part, ils correspondraient par un heureux hasard à ceux proposés par le hedge-fund domicilié aux îles Cayman qui travaillait en étroite relation avec la Direction Générale de *Consulting Management.* Ce fonds spéculatif montrait en effet un appétit d'ogre pour les nouveaux capitaux et avait chargé *Consulting Management* de rechercher et d'orienter vers lui les fortunes privées.

C'est une femme déconnectée de la réalité qui fit son entrée dans les salons du Crillon. Un garçon la conduisit jusqu'à la suite réservée à monsieur Goldshmit.

L'inévitable bouteille de champagne l'attendait au frais dans un seau posé sur un guéridon recouvert d'une nappe blanche.

— Vous savez c'est du bon, du brut de Roederer.

Martine ne se fit pas prier. Le champagne lui apparut être une bouée de secours pour tenter de traverser la passe des deux heures de coaching qui se présentaient devant elle, hérissées de barbelés.

Avant de commencer, elle lui tendit son verre.

— Il est irrésistible, votre champagne, monsieur Goldshmit.

— N'est-ce pas ? Je vous l'avais bien dit.

D'une voix un peu pâteuse et monocorde, elle commença sa litanie apprise en sophrologie.

— Asseyez-vous dans votre fauteuil, monsieur Goldshmit, mettez-vous à votre aise. Enlevez votre cravate et votre montre… Ne bougez pas. Respirez à plusieurs reprises, en vous relaxant. Comptez à la fin de chaque expiration.

Inspirez, expirez et comptez un. Inspirez, expirez et comptez deux. Continuez ainsi jusqu'à dix. Puis à rebours jusqu'à un… Vous vous débrouillez bien, monsieur Goldshmit, je vous laisse faire.

Elle somnolait pendant le comptage. De son côté, il comptait de plus en plus lentement. Quand il arriva au bout, elle trouva la force de lui demander de fixer son esprit sur la visualisation d'un beau ciel clair… « Ce ciel envahit la totalité de votre esprit. » Elle bâilla avant d'ajouter : « Il est absolument clair, presque transparent, d'un bleu merveilleux… vous ne cessez pas de le contempler ».

C'en était trop, Samuel partit dans les bras de Morphée. Martine fixait son gros ventre qui gonflait et se dégonflait à un rythme régulier… Bercée, elle se laissa aller dans un demi-sommeil.

Il se réveilla en poussant un gros soupir de satisfaction en prenant son temps. Il guignait un petit plaisir que cette jolie femme alanguie pourrait lui donner pour terminer cette séance agréable.

À ce moment-là, le téléphone retentit. Il décrocha en hurlant. « J'avais demandé qu'on ne me dérange pas, sauf urgence » C'était le cas. Appel de son banquier de New York. Les titres qu'il possède chez le géant de la lessive sont en train de s'effondrer à Wall Street. Il faut prendre une décision immédiate. C'est la débandade. Sans un regard pour Martine, il lui fait signe de la main de partir.

31

Pourquoi tu me détruis ? Mon cri s'adressait à cet autre moi-même qui m'entraînait toujours plus bas. Tu as encore envie de m'avilir… Jusqu'où ?

Ma vue se brouilla ce matin en me levant. Mon brouillard n'était plus seulement cotonneux, il avait pris un éclat irréel qui me transperça. Je me sentis en danger. Il fallait pourtant me préparer pour partir à la Défense, Hubert ne supporterait pas de me voir m'absenter. Mes jambes se dérobèrent. Appuyée contre le mur pour ne pas tomber, je vis la couleur miel de la chambre devenir grise. Les murs, le plafond, la porte tournaient autour de moi. Mes mains glissèrent le long du mur, ne pouvant retenir mon corps qui s'affaissait ni mon visage dans la laine du tapis ; puis plus rien, un voile noir me recouvrait…

Des doigts tapotèrent ma joue. « Réveillez-vous Martine, tout va bien, je suis là. » J'étais allongée sur un lit. Où suis-je ? « Vous êtes dans votre chambre à Rambouillet, vous avez fait un malaise, vous me reconnaissez ? C'est Virginie » Je tentais de me redresser, Virginie merci, excusez-moi, il faut que j'aille travailler. « Il n'en est pas question pour le moment, reposez-vous, calmez-vous » Je fus bien obligée de me rendre à ses injonctions car mon corps ne m'obéissait plus. Je ne pouvais maîtriser les convulsions qui le traversaient.

Virginie me donna un verre d'eau et me demanda de demeurer allongée les yeux fermés. Elle posa sa main sur mon front, en murmurant du calme, du calme, d'une voix très douce. Touchée par cette sollicitude si nouvelle pour moi, je fondis en larmes. Dans un élan instinctif, elle me prit dans ses bras. Je sentis la douceur de son sein contre ma joue, je vis son visage empreint d'émotion. Éperdue de tendresse j'ai dû embrasser sa main, je ne sais plus… Gênée, je tentais de me reprendre. Je suis désolée, je traverse une période difficile. Elle le savait. Je me rappelais la porte de la chambre qui s'était entrebâillée, c'était elle probablement.

— Je crois que ça va mieux, vous m'avez réconfortée, je vous en suis reconnaissante, je vais pouvoir partir.

Dans l'encadrement de la porte, Hubert surgit :

— Tu as raison Martine, il ne faut pas te laisser aller. Je t'attends. Je t'emmène au bureau en voiture.

Ces paroles brutales me blessèrent. Aucun geste d'humanité. J'avais espéré de sa part, pour une fois, une fois seulement, un peu plus de compassion.

Virginie se retourna vers lui.

— Martine traverse une crise certainement passagère mais dont nous ne pouvons pas mesurer les effets. Il faut qu'elle voie un médecin. La contraindre à reprendre le travail dans son état, constituerait de la non-assistance à personne en danger.

Étonnée, je vis Hubert marquer un instant d'hésitation. Son calme apparent devait cacher une furieuse envie de passer outre en lançant une remarque cinglante à cette femme, sa femme, qui osait lui tenir tête. Il se contint. Virginie avait dû trouver les mots justes avec cette menace d'encourir une responsabilité pour défaut d'assistance. J'avais déjà remarqué qu'il se montrait un peu frileux du côté pénal. Il garda un visage fermé, barré par une moue méprisante. Sans dire un mot, il partit en haussant les épaules.

Virginie appela SOS Médecins. Un jeune toubib aux cheveux bouclés se présenta. Il m'ausculta rapidement, tout lui paraissait normal. Ensuite vinrent les questions sur mon travail. En apprenant que j'avais un poste de cadre à la Défense, chargé du relationnel, il pensa tout de suite au stress. « Il n'y a rien de plus déprimant que de se soucier du moral des autres, surtout à notre époque. » Je ne pus m'empêcher d'ajouter qu'avec un mari en prison c'était devenu particulièrement difficile. « Qu'est-ce qu'il a fait ? » Je ne répondis pas. Il s'arrêta de parler et me regarda autrement avec une compassion mêlée de considération. Il me prescrivit du lithium et des antidépresseurs. Il fallait aussi que j'entame une cure de psychothérapie. Pour me permettre de la suivre, il me signa un arrêt de travail de deux semaines renouvelables. En partant, il mit Virginie au courant pour qu'elle veille au suivi de ses prescriptions.

Cela fait déjà quatre séances avec ma psy. Heureuse que ce soit une femme, c'est plus facile de parler de ma relation avec mon patron, sans insister sur les situations dégradantes. Elle conservait un regard un peu lointain qui ne se posait pas sur mon visage mais s'efforçait de lire le cours de mes pensées. Hésitante, je cherchais mes mots, me repris à de multiples reprises et demeurais silencieuse pendant de longues minutes. Mon discours devait être inaudible et confus. Du coup, je craignis qu'elle ne comprenne rien à ce qui m'arrivait. Elle ne cherchait d'ailleurs pas dans cette direction. À travers ses questions, elle se préoccupait davantage de mon passé, de mon comportement qu'il faudrait changer, « les cas de harcèlement ne sont jamais tout noirs ou tout blancs ». J'eus la sensation d'être traitée en complice plutôt qu'en victime. Elle ignorait ma détresse. Elle m'expliqua que dans sa vision systémique, il n'y avait pas un méchant contre un gentil. Elle ignora mon état dépressif mais fit allusion à une psychopathie délirante… Que cachaient ces mots inquiétants ? Derrière ce jargon, je me sentais mise en accusation.

Je voulais repartir chez moi à Champigny où je serai plus libre en l'absence de Sébastien, mais Virginie estima que je n'étais pas en état de rester seule. Il était vrai que je demeurais vide et incapable de bouger sans difficulté. Les médicaments que je prenais y étaient peut-être pour quelque chose. Je n'insistais pas. Pourtant je me sentais mal à l'aise de continuer à vivre au milieu de ce couple. Je feignais de m'intéresser à la conversation et quand ils m'adressaient la parole, je répondais, mais le son de ma voix sonnait bizarrement et mes paroles ne voulaient rien dire. Je demandai la permission de prendre mes repas dans ma chambre. Je pus ainsi vivre en congé du monde et de moi-même. Béatrice m'apportait un plateau, je buvais mon eau, je portais ma fourchette à la bouche, avec des gestes mécaniques, mon esprit restait prisonnier de celui qui dirigeait mes pensées, commandait mes actes. Depuis qu'il avait pénétré en moi, j'étais en sa possession, je ne pouvais rien faire sans lui.

J'avais rejeté l'idée de le dénoncer pour qu'il soit mis en prison. Cela ne servirait à rien. Même mort, son âme demeurerait en moi. Nous étions irrémédiablement liés l'un à l'autre. Lui comme moi, même s'il ne voulait pas se l'avouer.

Le soir après dîner, il venait dans ma chambre. La première fois, il me parla de travail. Il paraît que Samuel Goldshmit m'appréciait et me réclamait. Il avait cru bon d'ajouter que je devais me garder de tout contact physique avec ce gros porc, m'en tenir à mon rôle d'appât. « S'il veut aller trop loin, glissez-vous adroitement entre ses doigts. Vous devez vous préserver de toute souillure pour m'appartenir pleinement et sainement ».

Devant mon absence de réaction, il avait renoncé par la suite à aborder ce genre de sujet. Dans ma chambre, il venait s'asseoir dans un fauteuil et se contentait de me regarder fixement. Je savais ce qu'il attendait. Je remontais lentement ma robe pour lui présenter mon sexe. Les yeux clos, raide, tendue, j'attendais, prête à tout accepter. Après avoir pris le temps de vérifier et se repaître de mon obéissance soumise, il s'en allait.

Peur de cet homme. En même temps, peur de le perdre. Je suis enfermée dans une prison invisible dont je ne vois pas les murs. Je suis damnée et ça, ma psy ne peut pas le comprendre. Ses études et son savoir ne lui servent à rien dans ce domaine.

Jésus menaçait les démons qui avaient pris possession d'un être. Les démons sortaient du corps du possédé et le malade était guéri. Il existe des exorcistes qui ont ces mêmes pouvoirs. Je voudrais en rencontrer un, capable par sa puissance, d'obtenir au terme de son rituel ma libération par l'injonction impérative : « Je t'ordonne, Satan, de t'en aller. Sors de cette personne. »

32

L'erreur judiciaire ça n'arrivait que dans les romans policiers ou les faits divers mais pas dans la *vraie vie*, encore moins dans la mienne. Pourtant ça m'arrive à moi, un type sérieux appliqué à suivre le droit chemin sans faire d'écart. Quel crime avais-je commis ? J'avais beau chercher, je n'en trouvais pas. Ah, si ! L'affaire des poissons. Ne pas confondre avec l'affaire des poisons. J'avais mis des poissons d'aquarium dans la Marne, il est vrai que ces poissons étaient ceux de mon patron, mais peut-on être incarcéré pour avoir noyé des poissons ? On ne savait même pas s'ils s'étaient vraiment noyés, ces poissons pourvus de nageoires comme les autres. Les poissons ne savent-ils pas toujours nager ? Je l'ignore, je sais seulement que moi je nage dans une situation absurde à la manière de Raymond Devos, sauf que mon histoire n'a rien de risible. Après ma garde à vue, j'avais appris que j'étais placé en détention provisoire. Devant une décision aussi incompréhensible, j'en arrivai à me demander si je n'avais pas attenté à la vie d'autrui, par mégarde, sans m'en apercevoir.

Deux éléments étaient à l'origine de la poursuite de la procédure selon mon avocate. Le premier, Martine n'avait pas confirmé avoir remis mon revolver à Hubert ce qui laissait penser qu'il était resté en ma possession. Le second, la défaillance des caméras de vidéosurveillance n'avait pas permis de prouver que je n'étais pas armé en entrant dans le bureau du Directeur-Général. Il fallait s'y attendre, il était évident que la mise en sommeil des caméras n'était pas due au hasard. Mon avocate n'admettait cette hypothèse qu'avec réticence. Encore jeune dans le monde judiciaire, elle répugnait à concevoir de telles pratiques.

Si la panne des caméras de surveillance ne me surprenait pas, par contre l'attitude de Martine m'affectait au plus haut point. Elle m'avait trompé, jusqu'à devenir complice de HH je le savais, mais de là à faire un faux témoignage contre moi, ça je ne l'aurais jamais imaginé. C'est non seulement notre passé qu'elle trahissait mais elle-même. Elle se reniait, elle abandonnait ce qui lui restait de dignité. Martine, marionnette incapable de s'occuper de ses enfants et moi en prison, résultat des gosses abandonnés. Un beau gâchis. Dire qu'elle était « responsable du bonheur », chargée du bien-être des salariées de *Consulting Management*, cette nomination montrait le dérisoire de notre société bâtie sur l'illusion et l'hypocrisie. Je ne la reverrais pas, sauf peut-être à l'instruction pour une confrontation. Les désespérés sont des poissons qui se croisent et s'effleurent sans jamais se rencontrer. Il lui serait plus difficile qu'à moi de se libérer de son enfermement car les barreaux de sa prison étaient invisibles. Malgré mon ressentiment, sa santé mentale m'inquiétait. À tout prendre, mon sort me paraissait plus enviable. J'avais échappé à la malédiction du zombi.

Mon avocate, contrariée par le tour que prenait la procédure, avait cherché à me réconforter. Le procureur ayant estimé que l'affaire était plus complexe qu'il n'y paraissait avait décidé d'ouvrir une information judiciaire et de saisir un juge d'instruction. Elle m'assurait que cette procédure était de nature à rétablir la réalité des faits et à m'innocenter.

— En attendant, je me retrouve en prison comme le pire des malfrats pour une durée inconnue. Votre juge aurait pu suivre son instruction sans me mettre derrière les barreaux.

— C'est le juge des libertés et de la détention qui décide. Il ne connaît pas le fond de l'affaire. Il a cru devoir prendre une mesure de sauvegarde pour protéger la victime présumée, Hubert Hamlet, contre une nouvelle agression de votre part.

— Protéger le prédateur ce serait risible si ce n'était pas aussi affligeant. Le monde à l'envers. Finalement, la présomption d'innocence dont on nous rabat les oreilles est en réalité une présomption de culpabilité.

Détenu à Fleury-Mérogis sous le numéro d'écrou 496418Z, je sortis du monde au moment où on me mit à poil, prit mes empreintes et donna une « trousse d'arrivant » pour me tenir propre.

Ici, ce n'était pas une garderie. La première nuit en attente d'affectation, je préférais l'oublier. Elle avait été particulièrement éprouvante au milieu de tarés au bulbe plus ou moins de traviole (J'empruntais le langage du lieu pour ne pas me faire remarquer. Je l'apprenais comme une langue étrangère).

Le lendemain, je fus convoqué chez le directeur de la maison d'arrêt qui était, à mon grand soulagement, une directrice, grande dame aux cheveux gris dans une veste bleue, peut-être un uniforme. Elle devait avoir une cinquantaine d'années. Son visage bien que ferme et sévère laissait transparaître une expression d'humanité. Je répondis à ses questions sans omettre de dire que j'étais innocent ce qui la fit sourire.

« Je ne suis pas là pour réviser les décisions de justice mais pour les appliquer. » Malgré tout cette femme expérimentée devait nécessairement se faire une idée sur chacun des prisonniers ne serait-ce que pour prévoir leur affectation et leur régime d'incarcération. J'étais étonné et admiratif de voir une femme à la tête de la plus grande prison d'Europe. Dans mon for intérieur, je ne doutais pas que cette femme intuitive devait pressentir que je n'étais pas coupable. Je lui fis part de ma peur de côtoyer les autres détenus. J'avais une licence de lettres. Elle misait justement sur la réinsertion par la culture. Je pourrais travailler à la bibliothèque pour le prêt de livres et faire des travaux de reliure, l'équipe devait justement être renforcée. Pour la cellule, compte tenu du surpeuplement, impossible de prévoir une cellule individuelle. Le régime de l'isolement était réservé aux plus dangereux. Après avoir consulté longuement son planning, elle parvint à me trouver une cellule de 9 m^2 qui présentait l'avantage d'être occupée par un prisonnier réputé calme avec qui je devrais pouvoir m'entendre.

Mon univers se rétrécissait. Du placard en sous-sol à la cellule du commissariat et maintenant à celle de Fleury-Mérogis, je voyais, horrifié, que les murs se resserraient de plus en plus sur moi.

J'appris que je venais d'être licencié pour faute grave avec mise à pied immédiate par *Consulting Management*. Hubert ne pouvait pas faire moins après ma « tentative d'assassinat ».

Évidemment, je n'avais droit à aucune indemnité. J'étais de plus en plus convaincu que si Hubert avait différé jusque-là mon licenciement ce n'était pas pour une raison financière mais pour me conserver à sa portée afin de pouvoir me noyer comme j'avais noyé ses poissons. Je me repassais sans arrêt la scène dans son bureau quand il m'avait tendu le revolver. En dehors de la perspective de finir chez les fous, je n'avais pas d'autre choix qu'entre me tuer ou le tuer. Cette seconde option lui permettait de savourer un plaisir raffiné. La perspective d'assister à une lente montée des eaux, de voir le noyé se débattre et que plus il se débat plus il s'enfonce, parviendrait à le faire accéder à l'enivrante jouissance de la vengeance.

Me revint en tête l'enseignement de Laborit qui avait fait l'éloge de la fuite. Nakache me l'avait fait connaître quand il m'avait rendu visite dans mon placard à la Défense. La recherche de rencontres féminines par internet qu'il m'avait conseillée participait plus du dérivatif que de la fuite véritable. Sans écouter les conseils, j'aurais dû quitter immédiatement *Consulting Management.*

Conserver son emploi, faire des procès, se révélaient des recommandations inadaptées en face d'un être aussi maléfique que HH. Il aurait fallu partir, loin, sans laisser de trace, injoignable, déconnecté. Tout abandonner. Sauver ma peau, sans m'accrocher à mon emploi et à mes droits. Renoncer à tout, femme, boulot, argent, c'était le prix à payer pour survivre. Ma résistance, mon refus d'abandonner, avait permis à HH de continuer à me détruire. Je le comprenais trop tard.

Un air glacé glissa sur ma nuque. Il me venait des envies de meurtre. Quitte à être en prison autant que ce soit pour quelque chose. Envie de rejouer la scène du bureau mais cette fois j'arriverais vraiment avec un revolver et il serait chargé.

Mon compagnon de cellule vivait dans le silence. Igor, c'était son nom, battait et rebattait continuellement les cartes. Il s'arrêtait soudain pour les étaler devant lui subjugué par l'annonce qu'il déchiffrait, avant de rebattre les cartes à la recherche d'une nouvelle réponse. Nul besoin de parler, le dialogue avec ses cartes lui suffisait. Il lui arrivait de lever la tête vers moi, son œil gauche à demi fermé pendant que son œil droit grand ouvert comme une lucarne me fixait. Avant la prison, c'était un arnaqueur de haute volée. Dans les casinos et les tripots, il avait plumé plus d'un pigeon. Pourtant, il était maintenant sans ressource. Un soir, il sortit de son mutisme pour m'expliquer que lui l'arnaqueur de profession avait été victime d'une arnaque. Une arnaque aux sentiments, son point faible. Il avait été l'amant éperdu d'une magnétiseuse qu'il appelait sa reine. Il l'avait aidée à acheter un appartement dans un immeuble luxueux pour s'y installer comme guérisseuse avec pratique du reiki et transmission d'énergie universelle salvatrice. Elle devait l'associer à son projet et lui avait fait miroiter des perspectives alléchantes. En attendant d'avoir des clients, elle lui réclamait de nouveaux virements pour faire la soudure. Il fallait juste passer cette période difficile. C'est ainsi que son compte bancaire se trouva vidé. Elle le laissa alors tomber en le traitant d'incapable. Pas question de déposer plainte. Compte tenu de son passé, il aurait eu l'air ridicule. Il avait tout le temps de ressasser des regrets vu que sa détention promettait d'être longue en raison du nombre des arnaques que l'instruction devait mettre à jour les unes après les autres. Les cartes me donnaient plus de chance. Igor faisait des « réussites » me concernant et à chaque fois il me considérait longuement de son œil en lucarne avant d'énoncer d'une manière prophétique que je serai libéré prochainement. Je ne croyais pas à ces réussites mais elles me faisaient du bien.

Le jour où je proposai à Igor de prendre en charge la location d'un téléviseur, il m'en fut reconnaissant. Il faut dire qu'en prison en dehors du « logement » et de la nourriture ordinaire tout se paye. Un travail est possible et même encouragé pour se procurer une petite rémunération et un pécule remis à notre sortie. Igor désirait se tenir au courant des nouvelles du monde. En dehors du journal de 20 h, il ne supportait aucune autre émission qui aurait pu le détourner de ses cartes. À mon arrivée, il s'était montré hostile. Il est vrai que j'étais celui qui venait lui grignoter ses m^2. Maintenant, il en arrivait à me parler après le journal de 20 h.

La journée commençait à 7 h par l'ouverture des lourdes portes en métal dans un bruit de chaînes, de verrous et de clefs. Elle se terminait tôt, à 19 h. Dans l'intervalle, douches, parloir, repas, promenades. Je passais la plus grande partie de mon temps entre la bibliothèque et la cellule. Mon travail à la bibliothèque me laissait du temps pour la lecture. Les livres me permettaient de penser à autre chose. Pas de lettres ni de visites au parloir, il est vrai que je venais d'arriver depuis peu. Seule mon avocate me rendait visite. Elle préparait une demande de libération. Je lui demandai des nouvelles de Sandra. « Elle ne vous a pas oublié mais vous savez elle se préserve ». Quant à Nakache, il n'était certainement pas au courant de mon incarcération. Je n'avais pas envie de le prévenir.

Je me faisais le plus discret possible pour passer inaperçu dans les lieux de rencontre, promenade, bibliothèque, douche… Là, l'eau éclabousse au milieu des gueulantes et des rires gras. Un petit brun tout velu aux yeux venimeux « Wesh gros, t'es nouveau, t'as foutu quoi ? » Je bredouillai « on m'accuse d'avoir voulu tuer mon patron. » Il siffla : « viens voir Max c'est un caïd, il a voulu tuer son patron. » Max un grand noir le visage levé pour recevoir la giclée en pleine gueule n'aime pas qu'on le dérange. Au bout d'un moment, il daigna se retourner. « On dirait pas, il a une tête de gonzesse. »

« En réalité, je n'ai pas cherché à le tuer, c'est une erreur judiciaire. » Il s'esclaffa : « Oh, miskine, chaud pour toi, une erreur judiciaire ! C'est la meilleure. Tu dis n'importe quoi, tu nous mènes en bateau, tu nous prends pour des caves. On n'aime pas ça ici les mecs à embrouilles ». Il s'avança vers moi tout en s'essuyant avec une serviette d'un jaune vif qu'il passa et repassa sur sa peau noire, fier de sa musculature. Je fis un pas de côté pour m'esquiver, il m'attrapa le bras. Il me toisa en me serrant le bras jusqu'à m'écraser les os. « Tu as une belle gueule, c'est quand tu veux, où tu veux. » Du coup, le petit brun s'excita, il avait tout d'un singe « Tu verras, tu vas prendre ton pied, c'est lui qui a la plus grosse bite de la prison ». Il lorgna avec respect sur le membre du caïd qui ne put s'empêcher d'y jeter un regard satisfait… J'en profitai pour me tirer. « On t'attend », me cria le singe.

Après le journal télévisé, Igor me mit en garde à propos des douches. Son voisin de cellule avait gâché sa vie en se baissant pour ramasser sa savonnette. Un jeune qui devait se marier à sa libération dans quelques mois avec une institutrice très mignonne. Il s'était fait baiser par-derrière. Il avait dû y prendre goût, à moins que ce soit par contrainte ou pour passer le temps, toujours est-il qu'il entama une relation suivie avec le mec. Je ne sais comment, sa fiancée l'apprit. Elle ne le supporta pas. Il a eu beau lui expliquer que c'était à cause d'une savonnette et qu'il ne recommencerait plus. Elle avait rompu.

Je décidais de me soustraire à la douche et de me laver par petits bouts au lavabo. J'accompagnais Igor, juste le temps de respirer un peu, dans la cour de promenade. La grande privation en prison c'est le sexe. Les rapports entre hommes sont plus fréquents qu'au-dehors. En raison de la violence qui règne, les viols ne sont pas rares. Les matons font semblant de ne rien voir, ils sont suffisamment occupés à éviter les agressions dont ils sont l'objet. Igor trouvait que le plus simple et le moins dangereux consistait à se soulager soi-même. Je partageais son point de vue, mais moi je n'avais pas besoin de me branler comme lui devant un poster de femme nue. Il me suffisait de fantasmer sur le corps enveloppé de ronds de fumée de ma vapoteuse de Champigny.

Les journées s'étiraient en guimauve. Elles se mélangeaient les unes aux autres jusqu'à me faire perdre la notion du temps. L'habitude de méditer sur la vacuité dans les sous-sols de la Défense m'aidait à voir s'écouler le temps comme l'eau d'une rivière.

Le pire moment pour moi c'était après 19 h quand commençait le régime cellulaire de nuit. Jusqu'à 7 h le lendemain, elle était longue la nuit. Il me fallait abandonner tout espoir de dormir sauf à de courts instants. Sartre avait raison, l'enfer c'est les autres, ceux qui crient, ceux qui tapent, ceux qui appellent, ceux qui pleurent, ceux qui gémissent. Les cris de démence me glaçaient d'effroi. Ces clameurs montaient des entrailles de ce monde de fer. Les lamentations raisonnaient des coursives au sous-sol, de tout ce peuple des damnés.

Dans mes nuits de cauchemar, des zombies à tête de poisson envahissaient les bureaux de la Défense. Ils pénétraient dans les open-spaces avec des écouteurs aux oreilles pour les téléguider dans leur travail. Gain de temps, productivité accrue. Terrifié par la perspective de devoir vivre en terre de zombie, je me réveillais en sueur…

33

Des clignotants s'allument et s'éteignent en une alerte permanente. Ils clignotent dans sa tête. Magie hypnotique qui va la conduire à la folie. Elle ignore ce qu'on va faire d'elle, un objet de manipulations ou de transformations, à moins qu'elle ne soit soumise à des pénétrations dans son corps ou dans les recoins de son cerveau malade. Une opération n'est pas non plus à écarter… Elle n'est rien d'autre qu'une bête transpirante d'angoisse dans une nuit qui n'en finit pas.

Même son arrivée ici demeure floue. Émerge seulement le souvenir de l'ambulance qui fonçait, sirène hurlante, dans les rues.

La lumière éclaire, l'aveugle. Deux infirmiers entrent dans sa chambre. Prise de sang, changement de perfusion… La nuit va donc se terminer et la journée commencer. Ils reviendront pour une IRM ou un électroencéphalogramme ou les deux, elle n'a pas bien compris.

Dormir un peu avant l'arrivée de l'infirmière de jour qui ouvrira le store. De son lit, elle apercevra toujours le même morceau de ciel gris dans l'encadrement de la fenêtre. Elle retrouvera l'univers uniformément blanc de sa chambre, du sol au plafond en passant par les néons.

Aujourd'hui, une nouvelle infirmière, petite Bretonne débordante d'énergie, Cathie, son prénom figure sur son badge, va l'emmener faire quelques pas sur la moquette du couloir, le temps de respirer l'air de la clinique aux relents douceâtres et de voir des portes fermées le long du couloir. La sienne porte le numéro 23. Dans ce couloir vide et aseptisé qui n'en finit pas, les vertiges l'empêchent de continuer et Cathie doit lui prendre la main.

En fin de matinée, visite du neurologue, petites lunettes à monture invisible et une barbe de trois jours qui colle une ombre sur ses joues, il lui expliqua qu'elle avait été prise d'une crise violente dans sa chambre de Rambouillet. Secouée par des convulsions suivies d'un raidissement de tous ses membres, elle avait perdu connaissance. Des symptômes qui avaient fait penser à tort à l'épilepsie. Il fallait poursuivre les examens neurologiques et biologiques. Comment se sentait-elle ? Enfermée dans une prison invisible dont elle ne pouvait pas sortir, répondit-elle à voix basse, honteuse, percevant que l'évocation de ce phénomène la classait hors du champ rationnel. Elle ne put s'empêcher d'ajouter qu'elle aurait aimé rencontrer un exorciste. Il sourit, ce n'était pas le lieu, elle pourrait plus tard, en attendant elle verrait un psychiatre. Il décida de la placer en observation. Les visites lui seront interdites jusqu'à nouvel ordre.

Un matin, Cathie, en ouvrant les rideaux, ne put retenir un petit cri de surprise qui fit sortir Martine de sa torpeur. Une rose rouge était posée sur sa table de chevet. Toutes les deux regardaient la fleur comme si elles voulaient lui faire avouer son secret, la faire parler sur sa présence insolite, à cette heure et à cet endroit. Comment avait-elle fait pour arriver ici ? Martine n'avait vu personne. Peut-être l'infirmière de nuit, aurait-elle posé la fleur et oublié de la reprendre… C'est bizarre, murmura l'infirmière… Autant que vous en profitiez… Ce tube rempli d'eau fera l'affaire.

Elle n'a pas longtemps profité de la belle fleur rouge apportée dans son désert par le vent de la miséricorde. Le psychiatre est venu, la rose a disparu. On n'aime pas les miracles dans les cliniques.

Le docteur Bardon les mains enfoncées dans sa blouse blanche posa sur elle ce regard psy qu'elle commençait à connaître… Un regard qui traverse. Il fit allusion à sa première crise. Là, c'était la seconde, plus grave, cette répétition l'inquiétait. Il l'interrogea sur son état. Blessée, en miettes, victime d'un viol, répondit-elle. Il leva un sourcil étonné. Oui, oui… un viol au moins dans ma tête. Pourquoi ce « au moins » lui demanda-t-il. Elle pensa aux actes sexuels de la chambre à miroirs mais elle fut incapable de les définir et d'en parler… Vous voulez dire que vous avez été victime d'un viol psychique, reprit le docteur et que vos crises sont une réponse somatique à ce viol. Oui… Martine sanglota, je ne sais plus où j'en suis docteur, c'est un grand désordre dans ma tête, je me sens paralysée, j'ai peur du violeur mais j'ai peur également de vivre sans lui, c'est un sort qu'il m'a jeté…

Les examens ne donnèrent rien. Le docteur lui prescrivit une cure de sommeil de dix jours. Après la cure, elle serait en condition pour aborder une psychothérapie.

Le protocole prévoyait de l'accompagner d'un traitement à base de neuroleptiques pour remédier à ses symptômes dissociatifs et aux perturbations de sa relation à autrui. « Ne vous inquiétez pas, Madame Masson, détendez-vous, on va vous tirer d'affaire. »

Virginie reconnut le carré de pelouse et les quatre bancs. Assise sur l'un des bancs, la rose bien serrée contre elle pour la protéger du vent, elle guetta dans la nuit. Les lumières brillaient encore à quelques fenêtres. Celle de Martine devait se trouver à côté de la grande baie vitrée. Des silhouettes passaient et repassaient en théâtre d'ombres chinoises. Elle attendit que la fenêtre de sa chambre s'éteigne avant de pénétrer dans la clinique et de se faufiler jusqu'à la chambre.

C'est elle qui avait appelé le 15 et accompagné Martine dans l'ambulance. Bouleversée par la perte de connaissance de Martine, elle était revenue à la nuit tombée à la clinique, persuadée que la vue d'une belle rose à son réveil serait de nature à provoquer une étincelle de bonheur capable d'enclencher un processus de guérison.

Des bribes de voix et l'odeur d'une rose nouvelle parviennent jusqu'à sa conscience ouatée. Martine arrive à soulever ses paupières, se demande depuis combien de temps elle est ici. Le docteur Bardon la regarde en souriant. Tout va bien, il est satisfait du résultat, elle retrouve un équilibre. Il faut qu'elle réapprenne à voir et à écouter durant un temps de réadaptation. Les visites de courte durée sont autorisées. Le docteur est parti. Martine tourne la tête lentement, elle esquisse un sourire à sa rose miséricordieuse ; son premier sourire depuis son arrivée à la clinique.

Virginie était là, debout dans l'encadrement de la porte, n'osant pas avancer. Martine crut à une apparition miraculeuse. Elle lui tendit les bras. Chacune s'abandonna dans le regard de l'autre. Un même sentiment de souffrance et de solitude les unissait. Les yeux de Virginie s'ouvraient jusqu'à devenir plus bleus, plus grands, plus attentifs. Martine lut dans ces yeux-là que la vie de Virginie venait de basculer. Elle capta en une fulgurance la douleur d'une femme à la recherche de nouveaux repères. Elle en fut bouleversée. Leur connivence lui permettait de se rendre compte de cette transformation.

Dans leur désarroi, le regard de chacune était pour l'autre source d'apaisement. Elles n'osaient pas interrompre ce moment de communion née d'une même souffrance qui les poussait l'une vers l'autre. Martine s'y résolut enfin. Elle parla de la douceur des roses. Elles ne pouvaient venir que de toi. Dis-moi, pourquoi ces roses… Martine sentit sur sa joue une caresse plus légère que l'aile d'un papillon. C'est à toi de trouver la réponse, dit Virginie en laissant ses yeux se perdre dans les nuages qui passaient devant la fenêtre.

Il s'était suffisamment passé de choses aujourd'hui et les jours précédents. Virginie se leva. Un sourire pour prendre congé. Martine la trouva fatiguée, amaigrie aussi, mais cela lui allait plutôt bien. La petite bourgeoise potelée qu'elle avait connue s'effaçait pour s'ouvrir à une grâce nouvelle. Martine, pensive, la regarda ouvrir la porte et sortir.

Sa pensée commençait à reprendre le cours de la vie. Par un réflexe de survie, elle s'efforçait d'éloigner Hubert de ses préoccupations, cet homme dont elle s'était crue adorée hier, l'ignorait aujourd'hui. La culpabilité au sujet de ses enfants la rattrapait. Sachant que c'était impossible de les revoir, elle finissait par ne plus pouvoir y penser tant la douleur de la séparation était vive.

Virginie était revenue. Elle invita Martine étonnée au café. « Rassure-toi, pas loin, c'est le café des visiteurs. Des choses à te dire, nous serons plus à l'aise. » Elle avait eu un entretien avec le docteur Bardon. Persuadé que les rapports affectifs faisaient partie du processus de guérison, le docteur avait permis cette sortie dans cet endroit qui permettait à certains malades autorisés de parler à leurs proches dans un cadre plus convivial. Martine se leva pour chercher un miroir qui n'existait pas, pas plus que des vêtements ou des affaires de toilette. « Pas grave, enfile ton peignoir, cela suffira et tu me suis ». Décidément, Virginie avait pris la peine d'étudier les lieux.

Dans le café, elles trouvèrent une petite table près d'une fenêtre qui donnait sur un petit jardin entouré de bancs. Virginie sourit en reconnaissant son banc sur lequel elle avait attendu dans la nuit.

Une autre table était occupée par un couple d'une cinquantaine d'années. Dans un fauteuil, un vieux lisait un journal. Elles commandèrent toutes les deux un thé à la menthe.

Virginie prit la main de Martine. Pour elle, tout venait de basculer, elle avait largué les amarres. Martine avait confirmation du bouleversement qu'elle avait perçu. Elle aurait aimé poser tout de suite des questions à propos d'Hubert mais Virginie avait à cœur de lui faire comprendre les raisons de sa rupture « car je te précède, je dois te montrer le chemin. »

Hubert avait réussi à les couper du monde extérieur dans leur maison de Rambouillet. L'état de santé de Martine aggravait encore cette situation. Il avait préparé un lieu faussement convivial qui était en réalité un huis clos configuré pour l'exercice d'une surveillance réciproque. Aucune intimité, l'autre deviendrait une menace. Tout cela en l'absence de conflits ouverts car chacun devait jouer son rôle sans se départir de son sourire.

Virginie marqua un moment d'hésitation avant d'avouer « Le grain de sable dans son plan a été l'attachement que j'ai senti grandir pour toi. Voir, sous mes yeux, Hubert s'approprier ta vie sans même que tu ne t'en rendes compte m'a été insupportable. » Du coup, elle avait pris conscience de sa propre soumission, réalisé qu'il lui avait volé pendant toutes ces années sa liberté contre un petit bonheur fade et tranquille. Elle avait eu peur de finir emmurée ayant perdu toute volonté de s'échapper, vivant avec le seul souci de me protéger dans un monde dont l'unique perspective serait de servir notre maître. « Je te voyais sous son emprise, une poupée entre ses mains et le faux témoignage qu'il t'a contraint de faire contre Sébastien m'a répugnée. »

— J'avais passé un pacte avec le diable à Vevey, murmura Martine.

— Il fallait que j'agisse, reprit Virginie. Dans le monde d'Hubert, nous étions devenues semblables aux esclaves enchaînés dans la grotte de Platon pour qui l'image qu'on leur donnait à voir prenait le pas sur le vécu.

— Qu'est-il devenu, Hubert ? Où en es-tu avec lui ? se risqua à demander Martine.

— Il est mort.

— Comment mort ? Martine se sentit défaillir.

— Rassure-toi, je ne l'ai pas tué. Je veux dire qu'il est mort en moi. Pour moi, il n'existe plus.

34

Le Figaro, économie du 2 février 2016.

Perquisition à la défense

Une perquisition a eu lieu mardi matin au siège de la Société Consulting Management à la Défense. Les enquêteurs de l'Ocliff (Office central de lutte contre la corruption et les infractions financières et fiscales) saisis par le parquet national financier d'une enquête préliminaire touchant des soupçons de corruption et de trafic d'influence, se sont présentés dans l'immeuble Cœur Défense, siège de Consulting Management, acteur majeur dans le domaine du conseil et du coaching managérial. Les fonds auraient transité sur un compte ouvert au nom d'une société spécialisée dans l'événementiel à la Financière Suisse de Genève. Cette société s'affichait comme organisatrice de salons et soirées de prestige à Dubaï. Une enquête est en cours auprès de cette banque pour identifier les dirigeants de cette société. Le président de Consulting Management a été entendu mais les témoignages laissent penser que c'est l'audition du directeur général qui permettrait d'en savoir plus. Celui-ci serait en voyage d'affaires en Suisse et pour le moment reste injoignable. Madame Ines Labraoui, responsable du capital humain chez Adventure, leader dans le domaine du conseil, a également été entendue à sa demande pour témoigner de la façon douteuse dont certains marchés ont été attribués à Consulting Management.

Le Figaro, économie du 6 février 2016.

Une troublante disparition

L'enquête concernant des faits de corruption qui mettrait en cause Consulting Management ayant fait l'objet d'un article dans nos colonnes le 2 février dernier se complique. On demeure sans nouvelle d'Hubert Hamlet. C'est sous l'impulsion de ce directeur général que Consulting Management doit sa progression spectaculaire qui lui permet de rivaliser aujourd'hui avec les plus grands dans le domaine du coaching et du conseil. Parti en voyage d'affaires à Genève, il n'a pu être retrouvé malgré les avis de recherche internationaux. Outre la fuite vers un pays lointain, diverses autres pistes sont évoquées dont celle du suicide. Un règlement de compte n'est pas non plus à écarter, certains membres du réseau constitué autour de lui pourraient avoir voulu le supprimer pour éviter des révélations. Hubert Hamlet serait en effet impliqué dans un système de corruption et de rétrocommissions pour des marchés passés en Suisse. Les enquêteurs vont se pencher également sur ses relations internes. Apprécié pour son savoir-faire par les actionnaires et les administrateurs, HH comme on l'appelait n'avait pas que des amis au sein de l'entreprise. C'est ainsi que nous avons appris qu'il venait récemment de faire l'objet d'une tentative d'assassinat par un de ses collaborateurs qui a été mis en examen et se trouve incarcéré à Fleury-Mérogis.

35

Même une femme captive comme je l'étais, dans des liens qui l'asservissaient à un être aussi pervers que mon mari, Hubert Hamlet, peut préserver un coin d'intériorité. Toutes les femmes devraient protéger cet espace de liberté dont elles pourraient avoir besoin pour s'échapper. Je voudrais leur faire savoir. C'est ce moi primitif qui m'a donné la force, contre toute attente, de déclarer à mon mari, dans notre ultime face à face l'impensable « tu es mort pour moi ».

Le lendemain, il est parti. Pour un voyage d'affaires en Suisse, avait-il annoncé à ses collaborateurs. En réalité, personne ne l'a jamais revu en Suisse ni ailleurs. Il a disparu sans laisser de traces, à croire qu'il s'est évaporé dans l'atmosphère.

J'ai informé Martine de cette disparition. Elle est demeurée muette. Manifestement, elle n'y croyait pas, soupçonnant Hubert d'un nouveau stratagème. Je ne lui ai pas caché qu'il était recherché en raison de diverses infractions financières relatives à la passation de marchés en Suisse. J'avais été interrogée longuement par deux flics de la brigade financière, un homme et une femme, venus chez moi, fureter dans tous les coins, convaincus que je devais savoir où se trouvait mon mari. Soupçonnée de complicité, mes faits et gestes ont été vérifiés. Ils m'ont même posé des questions sur l'état de mes relations conjugales, je devinais qu'ils n'excluaient pas que j'avais pu assassiner Hubert ou du moins commanditer son assassinat. Je me suis cru dans une mauvaise série policière. J'ai prévenu Martine qu'elle serait probablement interrogée à son tour sur le niveau de sa participation aux opérations visées par l'enquête. Le docteur Bardon ne s'y opposerait pas en raison de l'amélioration de son état de santé.

Du côté de *Consulting Management,* le DRH avait cherché à la joindre, désireux d'avoir un entretien urgent. Il avait l'air contrarié par son hospitalisation. Elle était mêlée à toutes ces affaires douteuses et j'ai senti qu'il voulait se séparer d'elle au plus vite pour préserver la réputation de *Consulting Management.* Je suis restée un peu évasive à ce sujet auprès de Martine.

Sa seule réaction a été de me demander d'une voix chargée d'émotion si Hubert était mort. Probablement pas car il n'est pas homme à se suicider, ai-je répondu. Je me suis employée à la persuader que, mort ou pas, la disparition d'Hubert lui rendait sa liberté. Le regard troublé elle m'a fait un signe de dénégation.

Manifestement, Martine demeurait dans un schéma de soumission. Elle se sentait encore possédée. À travers ses propos confus, j'ai compris qu'elle restait persuadée que le pacte démoniaque qu'elle avait passé avec Hubert ne pouvait être rompu.

Dans le triangle dramatique *Persécuteur, Victime, Sauveur* j'avais pris le rôle du Sauveur. Or, le Sauveur doit veiller à ne pas envahir la personne aidée, la laisser grandir. C'était une recommandation essentielle que j'avais apprise dans l'analyse transactionnelle. Il me fallait donc freiner l'envie que j'avais d'avancer avec Martine.

Je lui taisais ma fascination pour son corps de jeune fille, sa bouche large, ses longs cheveux noirs. Tout en elle dégageait une sensualité qui contrastait avec son visage grave. J'aurais voulu être elle. Cette envie m'avait traversée dès que je l'avais vu arriver sur l'allée à Rambouillet. Je vois encore sa démarche, ses longues jambes, son allure d'animal racé. Je me suis comparée à elle et j'ai eu honte de mon corps de petite blonde rondelette. Elle possédait tout ce qui me faisait défaut.

Envers cette rivale, j'avais ressenti au début une profonde jalousie qui se trouvait exacerbée par l'humiliation d'avoir à la servir pour satisfaire au désir du maître. Pour moi, qui étais née Lamanière, c'était dégradant. Je comprends maintenant qu'Hubert comptait nous maintenir dans une rivalité sourde qui nous aurait détruites intérieurement. Deux petites poupées bien éduquées qui auraient accepté leur rôle sans regimber.

Ma jalousie a perduré jusqu'au jour où je l'ai vue dans sa nudité en lui tendant son peignoir. Mes yeux ont alors rencontré les siens. À cet instant, un désir d'elle m'a envahi. Cet éblouissement me rendait heureuse d'avoir la chance d'être à son service pour être proche d'elle. Je ne savais pas encore qu'un tel retournement allait bouleverser ma vie.

À partir de ce jour, je fus prise d'une véritable frénésie de tout connaître d'elle. J'attardais de plus en plus mon regard et mes mains sur son corps à sa sortie de bain, ce qui ne semblait pas lui déplaire. Je recevais son sourire sans qu'une seule parole ne soit prononcée. Ainsi naquit le début de notre complicité. Son caractère inavoué nous permettait d'avoir une relation occulte en marge de notre vie officielle avec Hubert sans prendre de risque, une sorte de respiration. La découverte de son corps avait provoqué en moi le besoin de découvrir sa vie. Par la porte entrebâillée, j'ai commencé à écouter furtivement des bribes de conversations. Je me suis enhardie jusqu'à tout écouter et même à suivre leurs ébats. Hubert devait s'en rendre compte, peut-être même l'avait-il recherché, je le devinais à l'air méprisant dont il me toisait. Il laissait faire, satisfait de me voir dévalorisée. Imaginer une femme éduquée à Sainte Clotilde se comporter en voyeuse dégénérée ajoutait à la jouissance que lui procurait Martine. J'étais morte d'humiliation mais rien ne pouvait me faire renoncer à voir et à savoir. Après tout, j'étais chez moi et j'avais bien le droit de savoir ce qui se passait sous mon toit. Je refusais d'être mise à l'écart et je participais, malgré eux, à leur vie, partenaire cachée certes mais bien réelle. L'indignation et la colère s'y mêlaient au plaisir. Je dois avouer qu'il m'est parfois arrivé de me sentir au bord de l'orgasme quand je la voyais danser et se dénuder lascive et voluptueuse devant lui. J'imaginais être à la place de mon mari, lui qui ne la méritait pas. La présence d'Hubert me devenait de jour en jour plus odieuse jusqu'à devenir proprement insupportable le jour où il a contraint Martine qui l'écoutait tête baissée et à genoux, à faire un faux témoignage contre ce pauvre Sébastien en usant d'un chantage révoltant.

Ce que je voyais me renvoyait à ma propre condition. J'avais enfoui ma vie de soumission et de tristesse au fond de moi. Je m'étais réfugiée derrière l'image que Monsieur et Madame Hamlet donnaient d'un couple qui fonctionnait à merveille. Je lui avais apporté en dot mon nom et notre résidence de Rambouillet. Au lieu de m'en être reconnaissant, il avait toujours cherché à prendre une revanche sur cette situation qui l'avait mortifié. Privée d'enfants qui auraient constitué un obstacle à notre bien-être et surtout à sa réussite, ma vie sociale brillante masquait les reproches et les remarques méprisantes qu'il réservait à nos tête-à-tête et ma condition d'esclave soumise à ses caprices dans l'intimité. Il demeurait interdit à une femme qui vivait dans l'opulence et l'oisiveté comme moi de se plaindre. C'était d'ailleurs hors de question, mon amour propre m'interdisait de faire état des traitements que je subissais, mon orgueil m'incitait au contraire à continuer d'afficher ma réussite et à faire des envieuses autour de moi.

Cette comédie hypocrite venait de se terminer. Très calmement, j'avais signifié à Hubert, avant son départ, que désormais je reprenais la direction de ma vie et que je ne souhaitais pas le voir revenir chez moi. Me prouver que j'étais capable de me libérer de son emprise m'a fait retrouver ma dignité. J'ai dit à Martine qu'elle aussi pouvait y parvenir. C'est le premier pas qui compte. Elle aurait une occasion de faire ce premier pas libérateur en revenant sur son témoignage à propos du revolver, quand elle serait interrogée par l'Officier de police. En fuyant mon regard, elle m'a fait non de la tête. Elle était manifestement terrorisée à l'idée de voir revenir Hubert. J'ai essayé d'être convaincante. « Non ! Il ne reviendra pas. J'ai appris à le connaître moi qui ai vécu si longtemps à ses côtés, notre maître a ses lâchetés, il ne supporte pas l'idée d'aller en prison et d'être blessé dans son orgueil. C'est d'ailleurs l'une des rares blessures qui puisse le faire souffrir. Il tentera par tous les moyens d'y échapper ».

J'aurais voulu lui faire partager la force que je sentais en moi. Celle de la femme devenue sorcière pour affronter les monstres à visage humain et neutraliser leurs philtres maléfiques. Celle de la femme sauvage déterminée à sortir de la domination masculine. Celle de la femme libre capable de faire émerger d'autres points de vue que celui des hommes pour changer la vie. Celle de la femme de désir que n'effraient pas les initiatives dans la quête de ses propres plaisirs et qui sait faire place aux rêves de deux amoureuses…

Inutile de m'épuiser pour rien, je devais réfréner cette envie de vivre avec elle. Il me fallait attendre qu'elle retrouve sa liberté de penser. Nous n'avancions pas d'un même pas. Il n'en restait pas moins que nos deux solitudes nous poussaient l'une vers l'autre. S'aider en attendant peut-être de s'aimer. Elle était si fragile. Mon ambition se limitait pour le moment à rester avec elle le temps d'une nuit, histoire de se sentir moins seule. Un CDD précaire en quelque sorte.

Durant cette période, j'étais auprès d'elle presque tous les jours. Un soir, elle me demanda de lui apporter son tailleur en laine et soie et sa trousse de toilette. Maître Gilles allait venir de Vevey spécialement pour la voir. Elle avait prévu de le recevoir au café des visiteurs et ne pouvait pas décemment lui tenir compagnie en peignoir. Son état s'améliorant, le docteur Bardon avait donné son accord à titre exceptionnel. Je connaissais un peu cet avocat d'affaires, grand ami d'Hubert, il était venu dîner à Rambouillet après une journée de travail avec les collaborateurs d'Hubert à la Défense. Il s'était montré brillant et mondain à la hauteur de sa réputation. Je savais qu'il était au centre des montages financiers examinés par la brigade financière. Sa visite en ce moment ne présageait rien de bon. J'étais d'autant moins rassurée que j'avais deviné qu'il ne déplaisait pas à Martine.

Le récit qu'elle me fit de leur rencontre allait confirmer mes craintes.

Elle était encore tout émue en m'en parlant. C'était la seconde personne après moi qui se montrait compatissante. Elle avait eu envie de pleurer devant une telle empathie à son égard. Antoine lui avait rappelé son invitation à venir voir le Chaplin's Word à Vevey. Au sujet de l'enquête en cours, il fallait bien entendu qu'elle dise la vérité pour permettre à la justice de suivre son cours. Il lui recommandait seulement de s'abstenir de parler de leur petite soirée dans son chalet. C'était alimenter les rumeurs de copinage qui pouvaient déboucher sur de la complicité dans l'esprit des enquêteurs. « C'est également dans votre intérêt Martine si vous ne voulez pas être ennuyée ». De même, elle devait le moins possible parler de lui et le présenter comme un homme de loi qui ne faisait que mettre en forme les projets élaborés par Mr Hamlet. Il lui confirma qu'il n'avait pas revu Hubert et qu'il ignorait ce qu'il était devenu.

Pour terminer, il lui avait fait savoir qu'il était prêt à l'embaucher comme assistante dans son Cabinet si comme il le craignait *Consulting Management* devait se séparer d'elle. Il avait apprécié ses qualités et lui promettait une bonne rémunération et une vie agréable. Elle s'occuperait de ses relations, des réceptions et tous événements concernant son Cabinet.

Cette perspective la réjouissait. Elle me confia que cette couleur que prend la vie quand on a de l'argent et une position dans la société, elle ferait tout pour la retrouver. Elle se sentait guérie, grisée rien qu'à l'idée d'entendre le son cristallin des coupes et le bouchon des bouteilles de champagne.

J'avais le cœur serré de la voir reprendre le chemin du sexe et de l'ambition comme seuls ressorts de sa vie. Antoine était venu trop vite. Martine n'avait pas appris la lucidité pour résister aux sirènes d'un monde pervers. Il aurait fallu qu'elle s'attache à moi comme Ulysse au mât de son bateau mais Martine n'était pas Ulysse.

36

Elle n'avait pas envie de bouger, elle restait allongée comme si elle se réveillait d'une anesthésie générale. Il faudrait pourtant qu'elle sorte de son lit d'hôpital avant que l'angoisse ne la rattrape. Travailler, retrouver un but, éloigner Hubert de ses pensées.

« Sortir de la sidération pour retrouver sa liberté », avait dit le docteur Bardon.

Virginie la pressait de la rejoindre, de venir vivre chez elle, « juste le temps de faire un bout de chemin avant de prendre ton envol ». Elle serait tentée d'accepter pour ne pas faire de peine à Virginie, mais le bout de chemin risquait de se prolonger jusqu'à devenir un long chemin. Une fois installée dans ce cocon, quitter Virginie, pourrait s'avérer difficile. « Il faut saisir sa chance quand elle passe, après c'est trop tard. » Sa chance à elle, son but, c'était toujours de retrouver le meilleur job, le plus beau mec, le plus bel appartement. Sa chance s'appelait aujourd'hui Antoine Gilles. Non, elle n'irait pas s'installer à Rambouillet. Elle ne pouvait se résoudre à vivre médiocrement.

Elle allait mieux selon le docteur Bardon. Un inspecteur de la Brigade financière avait été autorisé à venir à la clinique pour recueillir son témoignage. Chemise blanche, col ouvert, barbe naissante à la mode, plus jeune que l'OPJ du commissariat, il gardait en l'interrogeant un ton neutre et un regard inexpressif tout en pianotant sur son petit ordinateur portable posé sur ses genoux. Outre les indications susceptibles de retrouver Hubert Hamlet que celui-ci aurait pu confier à Martine car « vous étiez en étroite relation n'est-ce pas ? », c'est surtout la période Vevey qui l'intéressait, plus précisément le rôle de Martine dans l'attribution du marché passé avec *Milknes* et dans la gestion de la société chargée de l'événementiel. Elle parla de ses interventions, des réceptions, de ses contacts avec les cadres de chez *Milknes* mais passa sous silence la soirée dans le chalet d'Antoine. Ce premier interrogatoire en clinique devant être écourté, l'inspecteur se contenta de recueillir ses déclarations sans la pousser dans ses retranchements. Toutefois, il lui signifia calmement qu'elle était placée sous contrôle judiciaire et qu'elle devrait se tenir à la disposition de la justice. Martine crut en avoir terminé quand l'inspecteur se ravisa : « J'oubliais… Monsieur Hamlet aurait fait l'objet d'une tentative d'assassinat de la part de votre mari ». Le voilà qui tripatouille ses papiers pour en venir au revolver.

Soudain, Martine se trouvait obligée de décider, dans la seconde, de prendre un virage crucial pour la suite de son existence. Un tête-à-queue pouvait être mortel. L'angoisse l'étranglait à l'idée de rompre son pacte avec Hubert. Pour lui, ce serait une trahison. Elle n'osait pas en imaginer les conséquences. En même temps, elle se rappelait les paroles de Virginie : revenir sur son témoignage constituerait un premier pas pour la libérer de sa prison psychique, mais pour Martine ce qui entourait le psychique demeurait confus. Une autre libération dépendait d'elle. Elle réalisa vraiment en cet instant que Sébastien demeurait en prison à cause de son témoignage mensonger. Elle respira profondément avant d'avouer : « J'avais remis le revolver à Hubert ».

Surpris, l'inspecteur s'interrompit de prendre des notes. Il lui demanda de bien réfléchir car cette déclaration l'exposait à des poursuites pour faux témoignage. Bien entendu, elle n'échappa pas à la question : « Pourquoi avoir dit le contraire dans votre précédente déposition ? ». Elle expliqua d'une voix tremblante que c'était sous la pression de M. Hamlet.

Après le départ de l'inspecteur, demeurait en elle cette question lancinante. Venait-elle de se libérer ou de se perdre ? Elle tentait de se rassurer, Hubert ne reviendrait pas, avait assuré Virginie. Il était mort, avait-elle ajouté… Mort, pour elle, ou vraiment mort ?

Virginie était la dernière personne à l'avoir vu vivant. Le lendemain, il disparaissait. Or, elle n'était jamais entrée dans le détail de leur ultime confrontation. Que s'était-il passé exactement ce soir-là ? Hubert avait pu se montrer menaçant en se voyant rejeté au moment de partir. Elle pouvait l'avoir tué pour sauver sa vie.

Ces interrogations tournaient dans sa tête jusqu'à la paralyser. Elle résolut délibérément de les écarter et de se focaliser sur son seul avenir immédiat.

À sa sortie de clinique prévue pour la fin de la semaine prochaine, elle devait se rendre à la Défense pour un entretien avec le DRH de *Consulting Management*. Tout laissait à penser que c'était une entrevue préalable à un licenciement. Une fois cette démarche pénible accomplie, la suite se présenterait sous un jour plus avenant. Antoine l'avait invité à dîner au George V. Il discuterait avec elle de son avenir en fonction du résultat de son entretien.

Elle se prenait à rêver d'une vie nouvelle en Suisse, où elle partagerait l'aisance et le confort des gens fortunés. Elle pourrait ainsi satisfaire le désir inassouvi que la disparition d'Hubert avait laissé en elle.

Et pourquoi, à propos de désir, ne pas espérer qu'un homme d'envergure comme Antoine pourrait effacer l'empreinte profonde qu'Hubert avait laissée dans son corps et dans son esprit. Elle avait bien remarqué à Vevey qu'elle ne le laissait pas indifférent. Son amitié avec Hubert la rassurait.

Par contre, elle était affectée par le désappointement de Virginie de la voir séduite par les propositions d'Antoine. À ses yeux, elle devait apparaître comme une femme soumise qui n'existait que par les hommes. Elle le reconnaissait. Elle n'avait ni le courage, ni même l'envie de se conduire autrement.

Elle pensait déjà à la toilette qui conviendrait le mieux à ce dîner. La robe bustier en fourreau Saint Laurent qu'elle avait mise à l'hôtel des Trois Couronnes à Vevey pourrait rappeler à Antoine leur première rencontre mais elle craignait qu'elle ne soit un peu trop habillée pour la circonstance. La robe en crêpe de jersey avec des boots en cuir conviendrait mieux ou une chemise et son pantalon en soie mauve…

Le lendemain, Virginie était venue la chercher en voiture à sa sortie de clinique pour la conduire à Rambouillet. En ouvrant la porte de sa chambre, Martine se rappela soudain qu'elle avait laissé dans le tiroir de sa table de chevet la clé USB. La perte de connaissance qu'elle avait connue lui avait fait oublier son existence. Cette clé contenait la reproduction du document qu'elle avait photographié à Vevey chez Me Gilles. Elle ouvrit le tiroir. La clé avait disparu.

Elle interrogea Virginie. « Pas d'affolement, je vais d'abord servir un apéritif pour fêter ta sortie de clinique et je t'en parle ». Devant la table basse du salon, Virginie lui expliqua qu'elle avait « fait le ménage », avant la perquisition de la police. Sans connaître le contenu de cette clé, elle s'était dit que c'était plus prudent de la soustraire à la vue des inspecteurs, « pour t'éviter des ennuis ». Elle l'avait placée en sécurité dans son coffre à la banque. Sans s'attarder, elle embraya sur sa nouvelle vie sans Hubert, elle parla des aménagements qu'elle entendait apporter à sa maison. Martine fut frappée de voir que Virginie parlait comme si Hubert n'existait plus.

Dans le RER, les cadres en uniforme dans leurs costumes et chemises impeccables portaient le masque du sérieux et de l'ennui. Ils conservaient un regard fixe et lointain ou s'absorbaient dans la consultation de leurs portables. Que ce soient des SMS professionnels ou des jeux, ils gardaient le même air préoccupé pour pianoter. De temps en temps, ils ne pouvaient s'empêcher de lorgner vers les longues jambes de Martine. Elle fut rassurée de constater que son séjour en clinique ne semblait pas lui avoir enlevé son pouvoir de séduction. La crainte de ne plus être désirable l'obsédait, encore plus depuis qu'Hubert n'était plus là. Plaire pour revenir dans le jeu social représentait pour elle un impératif absolu.

Au fond de son sac, son portable vibrionna. Elle tripatouilla un moment avant de le trouver. Il est vrai qu'elle avait perdu l'habitude de s'en servir à la clinique. Sur l'écran, le nom de Richard Lepetit s'afficha. Il lui rappelait qu'il l'attendait dans le bureau 27 pour 9 h 30. Il était 9 h 15.

À la sortie du RER, elle se précipita. Le vent soufflait et s'engouffrait entre les tours. Il l'empêchait d'avancer, soulevait son imperméable, lui donnait une tête de folle. Après avoir badgé et passé les tourniquets, elle prit l'ascenseur. Il était bondé, n'en finissait pas de monter et de s'arrêter aux étages. Elle n'avait jamais aimé les ascenseurs ne sachant quelle contenance prendre aux yeux des autres. Elle finit par s'occuper en regardant, sur le petit écran fixé à l'intérieur. C'était justement un film sur « le bonheur au bureau » qu'elle avait réalisé. Elle ressentit un peu de nostalgie devant cette survivance de sa réussite passée car elle ne se faisait pas d'illusions, c'était la dernière fois qu'elle se rendait à la Défense.

Arrivée à l'étage, elle sentit qu'elle ne passait pas inaperçue. Il est vrai que son rôle de communicante chargée de créer du lien au sein de l'entreprise l'avait fait connaître. La plupart devaient savoir qu'elle allait être renvoyée. Leurs comportements variaient en fonction de l'image qu'ils avaient d'elle. Certains arboraient des mines apitoyées envers une femme victime quand d'autres se montraient carrément hostiles. L'un d'entre eux, de la race de ceux qui donnent un coup de pied à la personne à terre, était sorti précipitamment de son *open-space* en la voyant passer. Il la rattrapa et agita sous son nez en ricanant un porte-clés avec une bimbo dénudée. « Voici mon petit cadeau… Je prends soin de vous… Vous savez c'est ce jeu idiot que vous aviez institué soi-disant pour notre bien-être. » Interloquée, elle fourra l'objet dans sa poche sans un mot.

Quand elle pénétra dans le bureau n° 27, Richard Lepetit se leva, sombre et raide dans son costume trois-pièces. Elle eut la curieuse impression de venir assister à ses obsèques.

Il la fit asseoir. Prit un temps, pour fixer ses doigts croisés sur son bureau d'un air soucieux et pénétré, avant de lui exposer avec gravité que *Consulting Management* traversait une tempête médiatique depuis la disparition de son Directeur Général à la suite de l'enquête pour malversations financières. Il lui était reproché, « sous couvert de la présomption d'innocence », d'avoir mis en place un système de corruption et de rétrocommissions pour décrocher les marchés en particulier celui passé avec *Milkness.* Avec un regard accusateur, il rappela à Martine son rôle actif dans la conclusion de ce marché et sa nomination de Présidente de la société d'événementiel qui avait bénéficié des rétrocommissions.

Habillée d'un chemisier à col Claudine qui lui donnait un air candide, elle répondit qu'elle n'avait fait que son travail dans l'attribution du marché et qu'elle était devenue Présidente à la demande de son patron sans avoir aucune idée de la nature exacte des opérations de cette société. « Je n'avais à m'occuper de rien », m'avaient dit ces messieurs en me pressant d'accepter cette nomination.

M. Lepetit leva la main. Inutile de tenter de le convaincre, c'était à la justice d'apprécier. Compte tenu de ses relations étroites avec M. Hamlet… Encore ces relations étroites pleines de sous-entendus… elle ne pouvait éviter qu'un soupçon de complicité pèse sur elle. « Or, vis-à-vis des médias, nous devons présenter une *image clean,* lavée de tous éléments ou personnes suspects, pour sauver notre réputation. C'est pourquoi nous nous trouvons dans l'obligation de mettre fin à votre contrat de travail ».

Martine, demeurée étrangère à ce discours attendu, s'amusa de constater que son interlocuteur s'était débarrassé de sa manie de reproduire les intonations et la gestuelle d'Hubert.

Pour finir, Lepetit prit de la hauteur en terminant par cette image forte du navire qui traverse la tempête et doit se débarrasser de tout ce qui l'encombre pour ne pas sombrer.

Content d'avoir échappé à un affrontement accompagné de discussions longues et inutiles, le DRH se fit conciliant pour faire savoir à Martine que le Président, dans sa grande mansuétude, était intervenu pour qu'une rupture conventionnelle lui soit proposée à la place du licenciement initialement prévu, ce qui lui permettrait de toucher une indemnité équivalente à trois mois de salaire. Il se garda bien de lui faire savoir qu'en réalité le Président avait voulu éviter un procès pour licenciement abusif qui aurait attiré à nouveau l'attention des médias.

Sur le parvis de la Défense, le temps était maussade et les gratte-ciel lui faisaient grise mine. Elle les quitterait sans regret après avoir fait quelques emplettes aux galeries commerciales des Quatre Temps. Au sortir de cet entretien, elle ressentait le besoin d'un dérivatif immédiat pour oublier qu'elle venait de perdre son emploi. Aller se procurer un maquillage complet pour son dîner avec Antoine la projetait dans un avenir meilleur. Dans la parfumerie, elle prit plaisir à redécouvrir les produits de beauté à base de formules naturelles qu'elle aimait. Elle fit le choix d'un gel nettoyant, d'une huile d'hydratation de marque japonaise, sans oublier la crème de jour, le blush pour les joues, le lippe liner pour le contour de ses lèvres. Elle compléta également sa gamme de crayons à sourcils et de tubes de rouge à lèvres.

Son sac publicitaire à la main, elle avait envie de rentrer chez elle avant de téléphoner à Antoine. Pas si simple quand on ne sait plus où est son chez-soi.

À Rambouillet, c'était la maison des Hamlet. Certes, la chambre qu'elle y avait occupée était toujours à sa disposition, Virginie le lui avait rappelé à diverses reprises, mais elle ne s'y sentirait pas libre, elle n'échapperait pas aux interrogations, même muettes, de son amie. À Champigny, elle appréhendait d'y retourner. La coupure avec son ancienne vie avait été si profonde qu'elle redoutait de retrouver son passé avec Sébastien. Après réflexion, elle choisit tout de même cette dernière solution, non sans avoir averti Virginie.

37

L'avocat d'affaires Antoine Gilles avait ses habitudes au George-V pour ses séjours parisiens. Il pouvait y recevoir ses clients dans un lieu prestigieux et gérer son emploi du temps avec un maximum d'efficacité. Il disposait de deux restaurants et de salles de grand standing pour réunir en séminaires les dirigeants et leurs équipes. Il s'abandonnait, après une journée difficile, entre des mains expertes, dans le luxe raffiné du salon de massages en style gréco-romain. Il faisait appel à un service de conciergerie pour toutes les questions d'ordre pratique, celles qui font perdre un temps si précieux.

C'est donc tout naturellement au George-V qu'il avait invité Martine à venir le rejoindre. La perspective de la revoir ce soir lui avait permis de supporter la tension d'une journée consacrée à des discussions âpres et interminables autour d'un protocole de cession d'actions. À dire vrai, depuis plusieurs jours, la vision de son corps dénudé dans le clair-obscur de la chambre de Vevey ne cessait de le visiter et d'accaparer son esprit.

Ce fut un éblouissement quand elle pénétra dans le hall d'accueil. Tout était lumineux, du sol marbré aux tons pastel, jusqu'aux perles du lustre qui miroitaient au plafond. Incapables de détailler toutes les beautés qui se présentaient, ses yeux restaient captivés par les fleurs disposées à profusion. Des iris bleus en parterre au centre du hall se retrouvaient également en bouquets sur les murs, couronnés de gerbes de lys blancs.

Autour, les gens se mouvaient, avec l'aisance et ce supplément d'assurance que procure la richesse. Elle les regarda avec envie, elle qui devait se surveiller et s'appliquer pour conserver une élégance naturelle. Sa fière silhouette de mannequin cachait, au fond d'elle-même, l'élève qui ne pouvait s'élever qu'à force de travail et de persévérance. Hubert lui avait fait remarquer qu'elle se contrôlait tellement que son corps se repliait sur lui-même au lieu de s'épanouir. Sur ses conseils, elle avait appris d'un coach la détente occupationnelle et la décontraction. Au prix d'un entraînement intensif et régulier, elle était parvenue à acquérir une certaine aisance mais il lui faudrait encore s'approprier les autres codes de la bonne société avant de participer au bal des privilégiés qui la narguaient en virevoltant devant ses yeux.

Antoine arriva élégant et mondain, avec ce rien de fantaisie qui le rendait si séduisant. Il avait rasé la petite barbe qu'il arborait à Vevey mais gardé les mêmes yeux vifs qui enveloppèrent Martine, vêtue d'une robe fendue laissant apercevoir ses longues jambes. Il ne manqua pas de lui en faire compliment, elle était une fleur parmi les fleurs en harmonie parfaite avec le décor. Elle aurait le plaisir de retrouver des centaines d'orchidées au restaurant Le George où il avait choisi de l'emmener pour dîner.

Dans l'ambiance ouatée du restaurant, Martine sentit l'existence reprendre un peu de saveur. Les épisodes éprouvants qu'elle venait de traverser s'éloignaient. Même si l'empreinte d'Hubert demeurait, il lui arrivait, comme ce soir, de vivre sans y penser… Antoine proposa de dîner au champagne, du Perrier-Jouët ça vous va ? Et de débuter par une dégustation de caviar. Il savait que les mots de caviar et de champagne avaient le pouvoir de la faire basculer dans le monde de la fête et du luxe.

Martine lui fit le récit de son entrevue avec le DRH de *Consulting Management.* Il estima que conclure par la rupture conventionnelle était plutôt habile de leur part pour éviter une éventuelle contestation.

Peu importe, tout cela ne serait bientôt plus qu'un mauvais souvenir, il était là pour lui remettre le pied à l'étrier.

Il avait décidé de s'associer avec un confrère tourné vers l'international. Les synergies dégagées par cette association devaient entraîner un développement de leurs affaires respectives. La présence à leurs côtés d'une assistante chargée du relationnel serait un atout appréciable. Elle préparerait les séjours des clients à Genève et les guiderait dans leurs démarches. Quand elle aurait acquis une maîtrise complète de l'anglais, elle serait appelée à voyager à l'étranger, notamment aux US et dans les émirats, pour nouer des contacts avec les clients importants. Il avait pensé à elle, compte tenu de son expérience de communicante qu'il avait pu apprécier à Vevey.

Elle se voyait déjà évoluer dans l'univers du pouvoir, rencontrer des hommes influents, s'entourer de belles choses, goûter des mets savoureux. Elle ne cachait pas son enthousiasme devant de telles perspectives. Antoine émaillait son discours de plaisanteries qui la faisaient rire de toute la blancheur de ses dents, ses longs cheveux noirs rejetés en arrière.

À d'autres moments, elle l'écoutait en buvant ses paroles sans oublier de le regarder intensément. Ce n'était pas si difficile que ça de plaire à un homme. De son côté, il savourait le plaisir d'une conquête prochaine. Il rapprocha sa coupe de la sienne en caressant le galbe du verre de Martine.

Il suffisait à ce moment-là de presque rien, de laisser traîner sa main, c'est tout. Il la prendrait délicatement puis, les yeux dans les yeux, il l'inviterait à venir voir la décoration de sa chambre. Après tout, pourquoi pas ? Elle avait envie ce soir de se donner du plaisir. C'était même un besoin après tout ce qu'elle avait subi. Elle en avait bien le droit après tout. Elle avait commencé à noyer son passé dans les bulles de champagne. Il finirait bien par s'évanouir dans la folie érotique de la nuit, contre le corps de cet homme qui la désirait.

Pourtant, elle n'abandonna pas sa main. Un reste de prudence féminine lui commanda d'attendre. Trop de précipitation pouvait la déconsidérer.

L'arrivée du maître d'hôtel facilita sa retenue. Elle retrouva un maintien élégant et professionnel. Antoine soupira mais ne renvoya pas le maître d'hôtel. De toute façon, la magie de l'instant était passée. Il écouta donc posément ses conseils et choisit la dernière trouvaille du cuisinier, un tartare de tomates à l'oseille. Martine préféra des huîtres.

Dans cet intermède, l'ombre de l'absent se glissa entre eux.

— Antoine, avez-vous des nouvelles d'Hubert ? Qu'est-il devenu ?

— Non, il ne m'a pas donné signe de vie. J'ignore où il se trouve mais, je tiens à vous rassurer, je suis persuadé qu'il est toujours de ce monde.

— Comment le savez-vous ?

— Je l'avais appelé pour le prévenir que le Parquet financier allait diligenter une enquête qui le visait, ce qui laisse supposer qu'il ait disparu pour échapper aux poursuites et qu'il soit en vie.

— Qui vous avait informé de l'ouverture d'une enquête ?

— Un mail venu d'un cybercafé à Paris m'avait alerté. L'émetteur n'a pas pu être identifié. À ce jour, il demeure anonyme. Bien entendu, tout ceci est couvert par le secret de l'instruction, vous n'en parlez à personne.

— Une dernière question Antoine, après je vous laisse déguster votre tartare qui vient d'arriver. Il devait se rendre en Suisse, selon Virginie. Est-ce que vous l'avez rencontré ?

— Il est vrai qu'il avait annoncé également à ses collaborateurs qu'il partait pour Genève, pourtant je ne l'ai pas rencontré. Depuis mon appel téléphonique, je ne l'ai jamais revu… Une dénonciation doit être à l'origine de cette enquête. On a soupçonné Ines Labraoui de chez Adventure, que vous connaissez pour l'avoir rencontrée à l'hôtel des Trois Couronnes à Vevey. Elle l'a beaucoup chargé au cours de son interrogatoire. Elle était furieuse d'avoir vu *Conseil Management* lui souffler des marchés, mais je ne crois pas que ce soit-elle. Elle ne pouvait pas connaître le détail des opérations financières qui sont en possession des enquêteurs.

— Merci, Antoine, pour tout ce que vous m'avez confié. Tout ceci me paraît bien obscur, rassurée tout de même de savoir Hubert en vie.

— Tout permet de le croire, mais à la vérité, je dois dire que la police n'écarte pas encore l'hypothèse d'un crime. Ils trouvent surprenant qu'Hubert n'ait pas retiré d'argent sur ses comptes avant de partir.

Antoine s'interrompit pour goûter son tartare. Il ne tenait pas à gâcher la soirée en prolongeant cet échange qui risquait de les plonger dans un abîme de réflexions peu propice à l'aboutissement de son entreprise de séduction.

Martine avala une huître, tout en contemplant les centaines d'orchidées suspendues au-dessus d'un énorme vase Médicis dans la cour de marbre.

Antoine décida de donner un tour plus personnel à leur entretien. La retenue manifestée par Martine ne lui avait pas échappé. Il avait pensé que son attachement à Hubert pouvait l'expliquer.

— Hubert est mon ami, vous le savez… Lui c'est moi. Moi c'est lui. Je peux vous assurer que s'il revenait, il ne vous en voudrait pas de nous savoir ensemble ce soir.

— Décidément, vous me surprendrez toujours. Une telle certitude m'étonne, à croire que vous auriez eu une conversation avec lui à mon sujet.

— Pas du tout, qu'allez-vous imaginer ?

Le garçon s'approcha pour remplir leurs verres. La langue déliée par le champagne, elle s'enquit sur ses possibilités de logement à Genève, où se trouvait le cabinet de l'avocat. Les loyers devaient être élevés dans cette ville ?

— J'ai une bonne nouvelle. Vous serez logée gratuitement à Vevey. Mon chauffeur viendra vous chercher le matin. Logement et transport gratuit constitueront pour vous des avantages en nature appréciables.

— À Vevey, mais où à Vevey ?

— Vous n'avez pas deviné ? Dans mon chalet. Les jours de réception, vous serez ainsi sur place pour veiller aux préparatifs. Deux catégories de réceptions sont prévues : les relationnels avec des personnalités et les festives entre amis. Nous éprouvons la nécessité de nous encanailler, de sortir de notre conditionnement, en bref de nous éclater. Nous les Suisses, sommes tellement engoncés dans nos vies. Derrière un masque qui préservait leur anonymat, mes amis avaient osé libérer leur part d'animalité. Ils ont gardé un souvenir inoubliable de la soirée des loups dans la chambre aux miroirs. Vous aviez été magnifique…

Le souffle coupé, Martine ne respirait plus. Un sentiment de malaise l'envahit. La porte de la chambre à miroirs se refermait à nouveau sur elle. Elle redevenait une proie. Une grande répugnance s'emparait d'elle.

Devant sa pâleur soudaine, Antoine la saisit par le bras.

— Qu'avez-vous, Martine ?

— Je ne veux pas retourner dans cette chambre.

— Pourquoi ?

— Le lendemain en me réveillant j'ai éprouvé des remords. Je me suis sentie souillée. Nous étions allés trop loin, jusqu'à un point que nous n'aurions pas dû franchir.

— Je ne comprends pas. Vous étiez consentante.

— Vous m'aviez fait boire beaucoup de champagne. Vous vous souvenez ? Je n'avais plus aucune idée du lieu, le monde réel n'existait plus pour moi. J'avais fait confiance à Hubert. C'était un impératif de sa part de lui faire une confiance absolue.

Je ne vivais que pour lui et par lui. Je lui ai laissé faire tout ce dont il avait envie, sans me rendre compte de ce qui se passait. Plus tard, j'ai réalisé que vous étiez plusieurs à avoir abusé de moi.

— Mais enfin, vous aviez pris du plaisir, vous ne pouvez pas le nier. Nous en sommes les témoins.

— Vous avez raison. Je l'avoue. Cette nuit-là, je me suis abandonnée au plaisir comme jamais. Mais, plus tard, ce plaisir a alimenté ma honte. Elle a été à la mesure de mon plaisir. Dans ma tête, il ne reste plus rien de ces moments que la mémoire de l'humiliation.

Le silence est venu s'étendre entre eux. Ils n'ont pas lutté pour essayer de le combler. La chambre aux miroirs avait détruit leur désir.

Antoine avait perdu son sourire. Les lèvres serrées, il a murmuré « Dommage ». Martine a avalé deux coupes de champagne. Échec sur toute la ligne. Elle venait de s'exclure du cercle des favorisés de la vie.

Antoine a appelé le maître d'hôtel pour régler le repas.

38

Quand je suis sorti de Fleury-Mérogis, je n'ai pas réalisé ce qui m'arrivait. Il avait fallu en partir aussi vite que j'y étais entré. Hier jeté en prison, aujourd'hui jeté à la rue, toujours ballotté, ma vie continuait de se dérouler sans moi.

Le juge d'instruction avait décidé de mettre fin à ma détention. « Les charges retenues contre la personne mise en examen étaient abandonnées ». Le surveillant-chef m'avait fait cette annonce sans plus d'émotion que pour faire l'appel, pour lui les entrées, les sorties c'étaient la vie de la prison. Il me confia qu'il préférait quand même les sorties pour diminuer la surcharge carcérale, des prisonniers il en avait suffisamment comme ça. Après quelques signatures, j'ai pu récupérer mes affaires. Il ne me restait plus qu'à attendre l'ouverture de la porte.

J'ai cru comprendre que c'était à la suite d'un nouveau témoignage de Martine que mon juge avait enfin pris conscience de mon innocence. Mon avocate n'était pas là pour m'expliquer. Je verrai plus tard avec elle. Elle décrypterait les attendus de l'Ordonnance de non-lieu pour y retrouver les raisons qui motivaient ma libération.

Il y en avait un qui n'était pas surpris, c'est Igor. Ses cartes lui avaient annoncé ma sortie de prison. Ému, je lui ai serré la main en lui promettant de venir le voir. Oui, ça aussi, il le savait. « Tu reviendras, les cartes me l'ont dit. Ce n'est qu'un au revoir Sébastien. Tu verras, on n'abandonne pas la prison comme ça, elle vous colle à la peau. » Pour donner plus de force à sa prophétie, il ne lâchait pas ma main. Un gardien m'a tiré par le bras. J'ai vu son visage empreint de tristesse, il se sentait abandonné. Je n'ai pas trouvé les mots qui consolent, j'aurais voulu lui dire la chance que j'avais eue de tomber sur lui dans la cellule. Avec un autre, je ne sais comment j'aurai pu survivre.

Devant la porte de la prison, il faisait froid. Je restais verrouillé. Pourtant j'en avais rêvé de retrouver les monoprix, les boutiques, les cinés, les bagnoles et les cyclos. Le monde du dehors c'était mon obsession, mais au moment d'y retourner la crainte m'envahissait. Sentiment de ressembler à une carte magnétique désactivée.

Ici, dans l'avenue des Peupliers, c'était plutôt désert. Ne pas rester immobile. J'avançais, mais les gens s'écartaient. Je me suis demandé si je ne sentais pas mauvais à force d'avoir évité d'aller aux douches. Il y avait aussi ce gros sac avec toutes mes affaires. Je le traînais comme un boulet. C'est lui qui devait me donner l'allure d'un repris de justice... J'ai tout de même rencontré une jeune femme qui a bien voulu s'arrêter pour me renseigner. Prendre le bus DM 5, voyez là-bas, elle me montra l'arrêt de son doigt ganté, descendre à Juvisy s/Orge. Là, c'est le RER C qui vous mène à Paris. Elle m'a encouragé d'un joli sourire et m'a salué d'un petit signe gracieux de la main. Envie de l'embrasser.

Cela grelotta dans mon pantalon. Je me tâtai. Ce n'était ni une érection ni un refroidissement de mon sexe, c'était mon portable. Confisqué à mon arrivée en prison, il me rappelait sa présence. Je décrochai. « Tu te souviens de moi ? Sandra... » La belle Sandra venue m'attendre à ma sortie de prison, ça je ne l'aurai jamais cru ! « Oui, bien sûr, Sandra, comment t'oublier, mais je ne m'attendais pas à te rencontrer ici, aujourd'hui. Sans nouvelle de toi, je craignais même de ne jamais te revoir ». C'était bien elle pourtant qui m'invitait de sa voix grave à lever le nez vers le parking. Elle m'y attendait, en manteau, à côté de sa voiture. C'était presque la seule voiture sur ce grand parking, je ne risquais pas de la manquer.

Pendant que je marchais dans sa direction, elle m'examinait. Dans la glace, au moment de quitter Igor j'avais été surpris de voir mon visage blême, mes traits tirés, mes cernes sous mes yeux enfoncés.

Gêné, je m'approchais tout de même, la démarche incertaine dans mon costume froissé. Bousculant mes hésitations, elle s'élança vers moi pour m'embrasser. J'ai refermé mes bras sur elle. Sandra resta ainsi blottie pour m'expliquer qu'hier au soir, Esther lui avait téléphoné. Elle était toujours bloquée en province pour son travail et ne pouvait donc pas m'attendre à ma sortie de prison. « Te laisser seul dans un moment pareil, c'était inconcevable. J'ai donc pris ma voiture et me voilà… ça te fait plaisir au moins ? » « Bien sûr mais… » « Mais quoi ? »

« Tu vois comme je suis, fatigué et mal fagoté… Je crois qu'on ferait mieux de remettre ça à plus tard. » Elle m'invita à monter dans sa voiture avant de répondre. Avec ce froid, on serait plus à l'aise pour parler.

« Rassure-toi, je ne suis pas venue pour t'admirer mais pour t'aider. » Sa colocataire n'était pas là, elle pouvait m'héberger. « D'abord, tu prendras un bon bain aux essences de pin, tu en as besoin. Ensuite, un repas très simple mais certainement meilleur qu'à ta cantine de Fleury. Le soir, nous irons dîner chez "le Chinois" en bas de l'immeuble, il fait une très bonne cuisine. Après, si ça t'arrange, tu pourras dormir dans la chambre d'Esther, ça te changera de ton pucier et demain matin, remis sur pied, tu seras en état de reprendre ta route ».

Il aurait été inconvenant de refuser une telle proposition. Sébastien, pas question de tergiverser. J'ai répondu oui avec l'empressement qui convenait. Enfoncé dans mon siège, je goûtais ma chance comme un bonbon que l'on suce indéfiniment pour mieux le savourer.

Sandra conduisait vite, passait à l'orange, mettait la radio un peu trop fort. À la longue, cette musique devenait insupportable. Après avoir souffert des cris et des hurlements de la prison, je n'aspirais plus qu'au silence. Je n'osais pas le lui dire au risque de passer pour un rabat-joie. Sandra demeurait mystérieuse pour moi. Le temps d'une conversation dans un café sur les Champs n'était pas suffisant pour la connaître. Je l'observais, resplendissante, balançant ses cheveux au rythme de sa musique disco. Elle était trop belle, trop imprévisible pour moi. J'avais perdu l'habitude des élans de générosité. C'est à ce moment-là que je sentis naître la peur. La peur de ne pas être à la hauteur. Il ne me suffirait pas de manger, de dormir et de me casser le lendemain matin comme un voleur. J'aurais préféré descendre de voiture sans rien dire plutôt que de faire part de mes craintes à Sandra, mais c'était trop tard.

L'appartement de Sandra et Esther se trouvait à Paris, dans le 15e, immeuble haussmannien, bel escalier recouvert d'un tapis rouge que je montais derrière Sandra trop pressée pour attendre l'ascenseur.

Enveloppé par une odeur de bois précieux, je pénétrais sur les pas de Sandra dans la demi-obscurité d'un salon éclairé par le faisceau de deux projecteurs. Des bougies parfumées étaient disposées sur un guéridon. « Tu sais je suis une chatte qui se plaît à vivre dans le noir ». Je butai sur un coussin qui se trouvait à même le sol. Heureusement, un canapé providentiel me tendit les bras pour m'empêcher de tomber. Sandra s'amusa de voir que j'avais trouvé rapidement ma place. Elle m'invita à y rester le temps de faire couler un bain. Ce bain aux essences de pin j'en avais vraiment besoin pour faire disparaître l'odeur d'humidité dont j'étais imprégné. Je me rasai, me lavai les cheveux et m'aspergeai d'un parfum déniché dans son armoire de toilette. Sandra me donna une chemise bleue à petits pois blancs. Elle ne supportait pas que je reste avec des vêtements froissés. Une chemise d'homme ? Celle du copain d'Esther.

L'appétit ouvert par le bain, je dégustais avec bonheur le foie gras framboise suivi d'une lasagne aux petits légumes. Je me contins pour ne pas me jeter sur ces plats auxquels l'ordinaire de la cantine de Fleury ne m'avait pas habitué. Le tout arrosé d'un petit Médoc de propriété qui se laissait boire et qui finit de me désinhiber. L'air de ne pas y toucher, le petit Médoc faisait également effet sur Sandra. Son regard m'apprit que j'étais à nouveau présentable, recyclé dans le monde des personnes fréquentables, du moins dans mon *paraître* car pour mon *être* c'était moins sûr, mais ça elle ne le savait pas. Elle se rapprocha de moi pour me confier qu'elle connaissait tout de ma situation par Esther qui n'avait pas eu le temps de m'en parler. « Elle tient à te mettre au courant elle-même, secret professionnel oblige, alors tu ne lui dis rien de notre conversation ».

Éberlué j'appris en quelques minutes, que ma femme avait été hospitalisée en psychiatrie, que des poursuites pénales pour malversations financières avaient été lancées contre Hubert qui avait disparu, que Martine était revenue sur son témoignage, qu'elle reconnaissait maintenant, avoir dérobé mon revolver pour le confier à Hubert afin d'éviter un « accident », que je ne pouvais donc pas être en possession de cette arme en entrant dans le bureau de mon patron et que par conséquent l'accusation portée contre moi d'avoir voulu le tuer devenait sans fondement.

Et voilà, la boucle est bouclée s'exclama Sandra en applaudissant. Tu es innocenté. Tu repars à zéro et je suis là. Finalement, tu as eu de la chance d'être incarcéré. Sans cet alibi béton, on n'aurait pas manqué de t'accuser d'avoir fait disparaître ton patron. J'appréciais peu ce trait d'humour. La disparition d'Hubert, j'avais peine à y croire, encore un stratagème de sa part pour nous piéger. Tous ces événements avaient eu lieu en mon absence. Force était de constater que, depuis que j'avais noyé les poissons d'Hubert, j'avais pris leur place dans un aquarium qui me séparait de la vie. Out ! En dehors du coup, comme dans les parties de cache-cache de mon enfance où je me dissimulais si bien que les autres finissaient par m'oublier. Sandra, elle, débarrassait la table, souple et légère en jean et baskets, tout en parlant. « À notre rendez-vous sur les Champs je n'avais pas pu m'engager avec toi en raison de ta situation, mais je t'avais bien dit que je serais partante le jour où tu aurais largué les amarres avec ta femme et ton patron qui t'avaient concocté une vie en forme de cul-de-sac. Ce jour est arrivé. Certes, tu n'es pas encore installé au point de vue financier mais maintenant que les obstacles sont levés, ça ne saurait tarder compte tenu de ton potentiel. » J'avais rejoint le canapé bousculé par toutes ces informations.

En réalité, je n'étais pas prêt de « m'installer » comme elle le croyait. Les épreuves de ces derniers mois m'avaient dégoûté du management. Je venais de refuser un job dans l'audit à mon ami

Nakache. Ayant appris que j'étais détenu à Fleury, il était venu pour aider à ma réinsertion. Pas donné suite. Je ne voulais plus entendre parler d'audit, de conseil, de compétition… Analyser le coût social pour optimiser la marge d'une société, m'était devenu insupportable. Je voulais trouver un boulot qui ait du sens, sans avoir à fréquenter des courtisans comme ceux de *Consulting Management*. Il avait souri Nakache, il me comprenait. Nous reparlerions de tout ça plus tard. Oui mais Sandra n'était pas Nakache, elle ne pouvait pas me comprendre. Ce n'était d'ailleurs pas le moment d'aborder ce genre de problème. La demi-obscurité incitait aux confidences. Elle m'avoua que depuis qu'elle avait appris ma libération elle n'avait pas cessé de penser à moi. « Je ne sais pas ce qui m'arrive, tu vas me trouver un peu folle. » J'étais troublé, un peu flatté, mais ce qui m'inquiétait c'était de sentir renaître la crainte que j'avais ressentie dans sa voiture. J'aurais eu besoin de recul pour entamer une histoire avec elle, mais comment lui avouer sans honte que je n'avais pas envie de faire l'amour, que je n'étais pas prêt ? Et puis ses yeux dilatés par la lumière des bougies m'hypnotisaient, ses seins dansaient sous le chemisier blanc largement échancré. Elle n'avait pas de soutien-gorge, il m'a suffi de défaire quelques boutons du chemisier et ses seins se sont offerts à moi.

Allongé au-dessus d'elle sur le canapé j'ai promené mon sexe sur son corps en m'attardant entre ses seins. Elle a laissé échapper quelques gémissements de plaisir. Quand mon sexe est descendu entre ses cuisses, j'étais dans un tel état d'excitation que j'ai joui avant de la pénétrer en laissant mon sperme sur ses poils pubiens. Étonnée, elle m'a regardé et a soupiré. Je me suis relevé. Elle a couru dans la salle de bains.

Quand elle m'a rejoint sur le canapé, elle avait un peu froid. « Réchauffe-moi au moins ». Honteux, je ne disais rien. Elle m'a dit que nous pourrions tout de même aller chez le Chinois et que je pouvais rester couché. Tu as été trop rapide mais moi aussi, c'était trop tôt, j'aurai dû moins m'emballer et sentir que tu avais encore du ménage à faire dans ta tête.

J'ai préféré partir tout de suite. Quand je suis sorti, il faisait nuit.

39

Sébastien n'avait pas allumé en pénétrant dans son appartement de Champigny. Il voulait s'enfoncer au plus profond de la nuit pour y disparaître.

Les volets n'étaient pas fermés. Un pâle quartier de lune s'obstinait à diffuser un semblant de clarté. Mû par l'habitude, il vint coller son nez sur la vitre. Deux fenêtres continuaient à être éclairées. Deux êtres refusaient le repos comme lui. Le vieux qui se dirigeait vers son réfrigérateur à l'aide d'un déambulateur et la fille aux cheveux longs parée d'un boa de fourrure qui trinquait au champagne avec sa solitude.

De retrouver ces figures familières lui fit du bien. Il se sentait proche d'eux, lui non plus n'arriverait pas à trouver le sommeil. Trop d'événements survenaient en même temps qui se bousculaient. Sa sortie de prison, la disparition d'Hubert, le naufrage sexuel avec Sandra… Tsunami venu le submerger au milieu de sa vie de somnambule. Il essayait de les ordonner, de les comprendre.

Il retrouva son fauteuil, s'y recroquevilla et s'absorba dans la nuit, attendant qu'elle le délivre. Il croyait dans sa magie, en son pouvoir régénérant quand les pensées s'éteignent une à une comme des petites bougies. Au bout d'un temps qu'il ne mesura pas, il finit par s'assoupir.

Peut-être à cause du voisin du dessus qui faisait couler un bain ou d'un léger bruit qu'il crut entendre sortir du fond de l'appartement il se réveilla. C'était aux environs de 4 h du matin. Intrigué par le bruit qui persistait, il se leva. Poussant la porte de la chambre, il discerna dans l'obscurité une femme qui sanglotait, étendue sur le lit, une couverture jetée à la hâte sur le corps. Bouleversé, il se recula et ferma la porte. C'était si inattendu qu'il en eut froid au cœur.

Il n'avait fait aucun bruit mais Martine avait dû se rendre compte de sa présence. Elle apparut droite et raide à la porte de la chambre après avoir allumé le plafonnier du salon. Aveuglé par la lumière, Sébastien crut voir une morte surgir devant lui. Il supplia :

« Éteins, je t'en prie ! »

Les lueurs du dehors leur dessinaient des silhouettes surnaturelles. Dans la demi-obscurité, ils se regardaient étonnés et épouvantés. Se revoir les contraignait à affronter une épreuve qu'ils n'avaient pas prévue. Ils se dérobaient devant la vision douloureuse de leur échec que leur renvoyait l'autre en un funeste miroir. Ils ne reconnaissaient pas l'homme et la femme qu'ils avaient connus, avec qui ils avaient pourtant partagé plusieurs années de vie. Les yeux baissés, ils n'osaient plus se regarder, ne savaient quelle contenance prendre, quelles paroles prononcer. Ils se retrouvaient dans leur appartement comme deux naufragés.

Fatigués, ils ont fini par s'asseoir sur le canapé. Elle, les yeux fermés, la tête en arrière. Lui, tenait son visage entre ses mains. Ils ont reculé le plus possible le moment de se parler, ils savaient que les paroles allaient réveiller les démons… Pourtant il a bien fallu finir par rompre le silence qui n'en finissait pas de s'installer.

— Je ne m'attendais pas à te voir.

Il a sursauté, hagard comme si elle venait de le réveiller.

— Moi non plus je ne m'attendais pas à te voir. Revenir chez soi quand on sort de prison c'est naturel, non ?

— Je ne te le reproche pas. Moi aussi, j'avais besoin de revenir chez moi après mon séjour en psychiatrie.

— C'est vrai, on est chez nous ici, ça me fait bizarre de dire ça. J'ai l'impression de deux étrangers revenus d'un long voyage qui prétendraient avoir le même domicile. Ils ne comprennent pas ce qui leur arrive.

— Étranger, tu l'étais déjà. Le soir, tu passais ton temps sur le balcon ou à la fenêtre. Tu vivais de la vie des autres au lieu de t'occuper de moi.

— Pour la bonne raison que tu ne me supportais plus. Seule ta réussite t'importait. Tu ne me parlais plus qu'en hurlant. Je ne le supportais pas, je fuyais les conflits, je te fuyais. Tu avais pris ça pour de la lâcheté et tu me méprisais. Il fixait le sol en parlant. Il avait du mal à poursuivre. « L'inacceptable c'est la suite. J'ai peine à en parler, j'ai honte pour toi et pour moi. Pourtant, il faut aller jusqu'au bout. Nous ne nous reverrons sans doute jamais, il faut saisir ce moment de vérité ».

Martine persistait à s'en tenir au registre de la dispute.

— Il faut te rappeler du point de départ. Nous allions nous retrouver à la rue à cause de toi. Tu avais fait mourir les poissons rouges d'Hubert. Pour lui, c'était une profanation qui devait entraîner la perte de ton emploi pour faute grave, sans indemnité. Il a fallu que je me débrouille pour sauver la situation… C'est vrai que les circonstances m'ont amenée par la suite à te tromper avec lui, mais c'était pour notre bien à tous les deux. Il continuait à fixer le sol décidé à aller jusqu'au bout.

— Ta trahison va bien au-delà d'une tromperie avec le patron. Tu t'es rendu sa complice pour me détruire.

Elle avait cessé de tricher. Elle était en plein désarroi. Elle sanglotait en cachant son visage de ses mains. Sa voix devenait à peine audible.

— J'avoue avoir cédé à ses exigences et à ses caprices… J'étais sa captive, tu ne peux pas comprendre.

— Oui, parlons-en de ses caprices. Hubert a pris plaisir à me montrer des vidéos de scènes obscènes et ce repas des loups, véritable partouze sous couvert d'un rite sacrificiel pour lui donner une apparence plus sophistiquée. Comment as-tu pu en arriver là ?

— Je me suis fait piéger, j'ai été salie. Je ne peux pas en parler…

— Dans ta trahison, tu as été encore plus loin, jusqu'à l'impensable, jusqu'à l'ignominie d'un faux témoignage qui m'a conduit à Fleury-Mérogis.

Martine s'est redressée, elle a crié.

— J'avais refusé, je te le jure. Je ne voulais pas me rendre complice d'une injustice Même si ça n'allait pas entre nous jamais je n'ai voulu te faire du mal. J'ai résisté jusqu'au bout. Tu ne peux pas savoir ce que j'ai subi, coincée dans la chambre de Rambouillet. Il me harcelait en menaçant de divulguer à ma famille et mes collègues les vidéos filmées à mon insu. Ce chantage a eu raison de moi. J'ai abdiqué. Abattue, je n'étais plus qu'une chiffe molle qu'il a traînée jusqu'au commissariat.

Je ne m'en suis jamais remise. Incapable de travailler j'ai consulté des psys et fait un malaise qui m'a conduit en psychiatrie.

Pendant mon hospitalisation, je suis revenue sur ce témoignage. J'ai pris le risque d'être poursuivie pour faux témoignage pour te faire sortir de prison.

— C'est après avoir appris la disparition d'Hubert que tu as pu faire cette démarche, n'est-ce pas ?

— Oui.

— Sa disparition tu y crois ?

— Non, j'ai l'impression qu'il nous regarde.

— Moi aussi. Il adore expérimenter sur les humains. Il veut nous voir tenter de vivre en son absence et quand nous aurons repris goût à la vie, il reviendra remettre le couvercle pour nous étouffer.

— Virginie m'a affirmé qu'il ne reviendrait pas. Elle a vu Hubert la veille de son départ. Elle a été capable d'exprimer sa révolte. Elle est plus forte que nous et elle en sait plus que nous sur les circonstances de son départ. La police n'écarterait pas l'hypothèse d'un meurtre.

— Moi, j'ai eu envie de le tuer mais je ne savais pas tuer. Maintenant, j'en serais capable s'il revenait.

Silence… Le silence était revenu s'appesantir entre eux. Cette fois, ils n'ont pas essayé de le combler. Ils ont repris leurs positions du début. Elle, les yeux fermés, la tête en arrière sur le dossier du canapé. Lui, la tête entre les mains.

Au petit matin, un ciel plombé les avait ensevelis dans une lumière blafarde. Elle avait conservé sa robe fendue du George-V et lui la chemise bleue prêtée par Sandra. Ils avaient l'air de sortir d'un mauvais vaudeville. Ces accoutrements laissaient deviner leurs échecs amoureux de la veille.

Pour la première fois, ils se sont regardés. Dans la lumière cruelle de ce petit matin, l'autre ressemblait à un mort-vivant. C'est sur cette image que leur histoire allait se terminer. Ils allaient se quitter. Ils ont pensé en même temps : qu'est-ce qui nous est arrivé ?

Ils auraient pu faire comme tout le monde. Ils avaient tout ce qu'il fallait : un métier, des enfants, un appartement au bord de la Marne. Ils s'étaient mariés. Certes, la mésentente dans leur couple s'était installée mais rien n'est plus banal aujourd'hui, ils auraient pu divorcer comme les autres, reconstruire leur vie, les enfants tantôt chez l'un tantôt chez l'autre en alternance. Eux ils avaient été arrachés à la vie par une force mauvaise qui les avait déracinés. Ils avaient dérivé longtemps et maintenant ils étaient perdus.

Qu'avaient-ils fait pour en arriver là ? Ils n'étaient pas des malades mentaux, seulement des blessés de la vie comme d'autres, c'est tout. Oui, mais eux avaient fait une mauvaise rencontre. Cette rencontre avait le visage et le charme de Piccoli. Ils lui avaient été reconnaissants de leur avoir permis de parvenir à un niveau social inespéré, pour eux qui n'avaient pas de relations et ne sortaient pas d'une grande école. Ils avaient mis toute leur confiance dans cet homme. Derrière la tête de Piccoli se cachait une tête de serpent. À l'instar de leurs ancêtres bibliques, ils s'étaient sentis floués. Le serpent avait su profiter de leurs blessures pour inoculer son venin qui leur avait fait perdre leur capacité de discernement. Il avait pu ensuite les posséder.

— Quand il a voulu de toi en m'humiliant, j'ai brisé le pacte d'assujettissement. Il aurait fallu que je sois consentant et même davantage en lui offrant ma femme. En noyant ses poissons, je commettais un sacrilège. Contre toute attente, il accepta de me réintégrer dans sa société afin de mieux me détruire. Il t'a possédée, sans se priver du plaisir de me tenir au courant de la plus ignoble manière. Il m'a enfermé dans des placards et une prison. Il a fait de moi un inadapté social, crispé, angoissé et courant à l'échec. Je suis devenu un personnage maladif qui a peur des autres. J'en suis arrivé à ne pouvoir retrouver un semblant de liberté que dans l'isolement d'une cellule.

— Tu as employé le mot de possédée. Pour moi, c'était vraiment cela. Le sexe seul ne l'intéressait pas, il n'a cessé de façon obsessionnelle de vouloir posséder mon corps et mon esprit pour se les approprier chaque jour davantage, en me privant de voir et d'agir autrement que par lui. Aujourd'hui encore, Hubert continue de vivre en moi. Malgré son absence, son empreinte demeure. Je me sens incapable d'entreprendre ou de décider sans lui.

— Peut-être qu'avec le temps…

— J'ai peur de ne jamais pouvoir retrouver l'intégrité de ma personnalité car j'ai été victime d'un envoûtement. J'ai parcouru le traité vaudou qui lui servait de guide. Il parle de zombies qui errent dans un état second. Là-bas, à Haïti, quand un esprit s'empare de quelqu'un, on dit qu'il le chevauche. La scénographie de la captive de la chambre aux miroirs qu'il t'a montrée s'inspire d'un rituel vaudou. Les psys ne comprennent rien à ces phénomènes. Il faudrait que je puisse trouver un exorciste.

— Depuis la disparition d'Hubert, tu es dans quelle situation pour le travail et les amours ?

— Échec sur toute la ligne. Je n'ai plus de travail et ma dernière rencontre avec un homme a été un fiasco. C'était juste avant de venir ici.

— Coïncidence, ma dernière tentative avec une femme c'était également juste avant de venir ici. C'était un échec également. Pour le boulot, je sors de prison et je suis incapable de reprendre de l'audit ou du conseil management.

Ils sont tombés d'accord pour vendre l'appartement pour se procurer de l'argent, pour ne pas divorcer, c'était une formalité compliquée et inutile. Leurs enfants ? Ils avaient trop de peine et de honte pour en parler. On verrait plus tard…

Le silence est retombé. Sans un mot, elle a regagné la chambre. Il l'a regardé partir dans l'obscurité de ce jour qui n'arrivait pas à se lever. Il s'est allongé sur le canapé.

40

Le lendemain, avant que le jour se lève, Sébastien qui n'avait pas dormi décida de reprendre le chemin de la prison. Bien entendu, sa voiture qui n'avait pas servi depuis longtemps était en panne, batterie à plat. Il emprunta donc le RER mêlé à la foule des travailleurs du petit matin. À Juvisy s/Orge, le bus 5 DM pour Fleury-Merogis l'attendait. Les visiteurs de prisonniers se reconnaissaient à leurs sacs remplis. Lui, il arrivait les mains vides. Il avait quitté Champigny avant le réveil de Martine, tant il craignait de voir se prolonger leur tête-à-tête. Inutile de s'enliser dans les marécages de leur passé. Les nuits avortées avec Sandra et Martine lui laissaient un goût amer. Il lui fallait faire le point afin de reprendre sa vie en main, de la sortir de l'impasse. Il éprouvait le besoin d'un retour en arrière, de rembobiner le film à partir de sa sortie de prison. Aucune nostalgie morbide dans ce retour à la case prison qui se déroulerait cette fois loin des hurlements et de la promiscuité. Après avoir subi l'enfermement à la Défense puis à Fleury-Merogis, l'esprit uniquement occupé à survivre aux persécutions de son patron et à anticiper ses coups tordus, son horizon s'était considérablement rétréci. Plongé dans la « vraie vie », il se sentait perdu, tel le Petit Poucet dans la forêt mais sans petits cailloux pour retrouver son chemin. Il ne savait plus que faire. Il avait besoin d'en parler à un véritable ami pour sortir de sa solitude et prendre un nouveau départ.

Le parloir ressemblait à une petite salle de classe avec une table et trois chaises. C'était moins bruyant et plus propre que dans les cellules. Igor entra accompagné par un gardien « Je te l'avais dit que la prison on y revient toujours ». Il prit Sébastien dans ses bras. « Mon frère, je t'attendais, mais pas si vite. »

Sébastien raconta tout ce qu'il venait de vivre depuis son départ. Il était concentré, soucieux de n'occulter aucun détail même douloureux.

Igor l'écoutait, l'œil gauche à demi fermé pendant que son œil droit en lucarne fixait Sébastien avec intensité. De temps en temps, il se faisait préciser tel ou tel point. Avoir été victime dans sa vie de couple d'une arnaqueuse perverse lui donnait une certaine expérience, complétée par la fréquentation de la bibliothèque de la prison associée à internet.

Quand il termina son récit, Sébastien fut soulagé d'avoir déposé son fardeau. Il se sentait plus léger.

Igor sortit ses cartes d'une de ses poches. Il les étala sur la table et s'absorba dans leur contemplation avant de prendre la parole. Sébastien, impressionné, le regardait avec respect, persuadé que son ami possédait des connaissances ignorées du commun des mortels.

Après avoir puisé dans ses cartes une vision renouvelée de la situation, Igor prit la parole sans cesser d'observer Sébastien. « Tu dois te faire à l'idée que la disparition du prédateur ne marquera pas la fin de son pouvoir. Un caillou jeté dans une mare disparaît, mais à l'endroit où il est tombé, un remous se forme qui s'étend en vagues circulaires qui vont en s'élargissant. Il faut du temps avant que la surface de l'eau redevienne immobile. C'est pourquoi tu demeures encore en état de choc, proche de la sidération. Chez Martine, l'emprise la pousse à continuer à se soumettre à un schéma destructeur ce qui rend sa sortie de crise encore plus problématique. »

Igor continua songeur, en rappelant la grande inconnue qui continuait de planer au-dessus de leurs têtes : Où était le prédateur ? Qu'était-il devenu ? Mort ou loin d'ici dans une nouvelle vie. Que faire en attendant ?

Igor s'interrompit pour faire mine d'interroger Sébastien qui leva les yeux au ciel pour signifier son incapacité à répondre. Igor reprit. Il avait trouvé au cours de ses recherches un exemple à suivre du côté de nos ancêtres primates. Selon un anthropologue, les serpents partageaient avec eux leur habitat dans les arbres. La meilleure stratégie de survie adoptée par nos ancêtres consistait à se figer, car le serpent détecte ses proies à leurs mouvements.

Nous avons conservé de cette époque ce réflexe archaïque. Face à un danger, nous nous pétrifions. Le risque serait de paniquer, de courir dans tous les sens.

La leçon à en tirer pour toi aujourd'hui est d'éviter tout ce qui te pousse à bouger alors que tu ne sais pas où tu es ni où tu vas. Tiens-toi éloigné de l'enquête en cours et de toutes les personnes qui ont pu être en contact, de près ou de loin avec ton prédateur. Abstiens-toi des dopants. Oriente-toi vers de nouvelles perspectives. Après le traumatisme que tu as connu, tu dois donner un nouveau sens à ta vie. Ton refus de replonger dans l'audit d'entreprises va dans le bon sens. Il faut également retrouver des repères. Écarte les fréquentations inutiles, en particulier prend du recul avant d'avoir une nouvelle relation avec une femme.

— J'ai bien peur de ne pas être très doué avec les femmes.

— Prends garde à ne pas traîner avec toi un complexe qui n'a aucune raison d'être.

« Les femmes » ça ne veut rien dire, leurs personnalités étant très diverses. Avec de la chance et du discernement tu en trouveras une ou même plusieurs qui te correspondront, en particulier pour la sexualité. À la manière dont tu m'as parlé de ta soirée avec Sandra, j'ai compris que cette question te préoccupait. Doué ou pas doué, là n'est pas la question. Ne gâche pas ta vie par des appréciations et un esprit de compétition qui n'a pas sa place ici. Ne te fie pas aux images diffusées par les médias, n'écoute pas les conseils, surtout ceux des sexologues. En réalité, il n'existe pas de modèle. Dans la philosophie tantrique par exemple c'est le chemin qui mène à l'orgasme qui importe plus que l'orgasme lui-même. L'important est le plaisir, peu importe le moyen.

— Je crains de ne pas avoir la chance de rencontrer cette femme.

— Savoir attendre fait naître un manque créateur de désir. Le jour viendra où ton attente sera satisfaite. Entre-temps, l'onanisme n'est pas honteux et développera ton imagination.

— Tu me parles toujours d'attendre et de ne pas bouger. Je crains de demeurer éternellement immobile.

— Non. Rassure-toi. Laisse ta vie suivre son cours à la façon du cours d'eau qui suit sa voie malgré les obstacles. Il ruisselle, tourne et contourne herbes et rochers, sans peine et sans souci. Un beau matin, tu renaîtras. Hors du champ de vision du prédateur, même son fantôme finira par s'effacer. Tu comprendras qu'il n'a que la force que tu veux bien lui donner. Tu reprendras le contrôle de ta vie. Quand la chance te visitera, il te faudra la saisir. Quand ton corps et ton esprit te le demanderont, il faudra te lever. Tu iras avec la force que tu auras, comme il est dit à Gédéon dans la Bible. Même si tu as peu de force, elle te suffira.

Le gardien est revenu. Ils avaient encore bien des choses à se dire mais le temps de la visite était écoulé. Il fallait se quitter. Chacun retournerait dans son univers. Igor bénéficiait d'une remise de peine, il devrait sortir de prison dans trois mois. « Nous nous reverrons, mon frère » Ils se firent cette promesse, mais leur amitié, fleur fragile de prison, résisterait-elle au vent mauvais du dehors qui emporte même les sentiments les plus beaux ? En cet instant, ils n'en doutaient pas.

En sortant de la prison, Sébastien fit halte dans un bistrot. Il avait besoin de se restaurer. Malgré l'heure tardive, le patron lui prépara une omelette aux champignons accompagnée d'un demi de bière blonde. La télé allumée en permanence diffusait un reportage sur le sommet humanitaire de l'ONU à Istanbul. Sébastien regardait vaguement en buvant sa bière à petites goulées. Autour de lui, les consommateurs, les uns au comptoir, les autres autour des tables, commentaient le dernier match de foot du PSG. À la télé, le journaliste expliquait que ce sommet devait renforcer les partenariats entre les ONG et les opérateurs privés pour rendre l'aide humanitaire plus performante. Il donna la parole au directeur général de MSF logistique qui parla du rôle croissant des fondations privées comme celles de Bill Gates ou des Clinton devenues les plus gros bailleurs de fonds de l'humanitaire. Dans la salle, les clients se disputaient au sujet du PSG et de Neymar qui devait partir pour les uns rester pour les autres, leurs exclamations rendaient l'écoute du reportage difficile. Le journaliste interviewait maintenant le Président d'une ONG « SOS for life » située aux Philippines. Barbu avec lunettes à grosses montures l'homme se montrait satisfait des résultats obtenus par son ONG. À une interrogation du journaliste, que Sébastien n'entendit pas en raison du brouhaha, le barbu fut pris d'un rire qui le secoua jusqu'à déformer son visage en une horrible grimace. La barbe aidant, ce rire faisait penser à une manifestation satanique. Sébastien sursauta. Ce rire, il le reconnaissait. Il l'aurait reconnu entre tous. Il avait accompagné sa sortie du comité de direction où il avait été ridiculisé. C'était celui d'Hubert Hamlet.

Dans l'appartement de Champigny quand elle se réveilla il faisait jour. Sébastien n'était plus là. Il était parti comme un voleur. Ce départ précipité sans adieu la mortifiait. Elle n'existait donc plus à ses yeux. Elle aurait espéré de sa part qu'il manifeste un peu de compréhension, qu'il se rende compte qu'elle était comme lui, une victime.

Pour sentir une présence, elle alluma la télévision.

Elle prévoyait de rester à Champigny un jour ou deux pour s'occuper de la vente de l'appartement. L'immeuble se réveillait parcouru de tous ces bruits familiers qu'elle reconnaissait, l'ascenseur qui montait et descendait, les portes du voisin de palier qui claquaient libérant ses enfants qui partaient à l'école en braillant, le bébé qui pleurait quelque part… Au milieu de toute cette agitation, être seule, abandonnée, devenait insupportable. La télévision ne suffisait pas à combler ce vide. L'envie lui prît de retrouver Virginie à Rambouillet. Elle savait pouvoir y trouver un endroit chaleureux où se reposer et une amie qui l'accueillerait sans rien exiger. Cependant, elle ne pouvait ignorer que cette femme était amoureuse d'elle, ce qui risquait à terme de rendre la cohabitation délicate. Elle aimait Virginie comme une sœur, mais n'éprouvait pas d'attirance sexuelle pour elle, ni d'ailleurs pour les femmes en général. Celles qui sont attirées par tous les genres ont de la chance. Après tout, la bisexualité pouvait peut-être s'apprendre…

Comme elle s'employait à réunir ses affaires, son portable sonna. À sa grande surprise, le nom d'Antoine Gilles s'afficha. Pleine d'appréhension, elle hésita un moment avant de décrocher. Antoine la remercia d'avoir pris son appel. Il ne cessait de repenser à cette malheureuse soirée au George V et regrettait son manque de délicatesse. Désireux de se rattraper, il lui proposait de la mettre en relation avec un de ses clients.

Président d'une société Suisse qui recherchait un Chief Happiness Officer. Le poste était bien rémunéré. Antoine se tenait à sa disposition pour lui en parler si elle le souhaitait… Elle répondit oui sans hésiter.

Ce soir au George V ? Il se montrait pressé de rétablir une relation si malheureusement rompue. Non, pas ce soir, elle avait mal dormi et pas envie de retourner au George V ni de traîner dans le RER la nuit pour aller à Paris. Il accepta un rendez-vous pour le lendemain 20 h, dans un restaurant chinois de Champigny. Pas aussi chic que le George fit elle remarquer en riant, mais réputé pour son canard laqué.

Elle se demanda si le sentiment d'humiliation laissé par leur dernière rencontre n'aurait pas dû l'amener à un peu plus de réserve. Non, finalement, elle estimait avoir de bonnes raisons de rencontrer Antoine. D'abord, elle avait besoin de retrouver du travail. Son indemnité de départ ne lui permettrait pas de tenir longtemps et la vente de l'appartement risquait de traîner. Pour autant, elle n'était pas prête à accepter un emploi médiocre, avec frustration à la clé et n'avait pas renoncé à la grande vie qu'Hubert lui avait fait espérer. L'offre d'Antoine pourrait certainement lui en ouvrir les portes. À l'approche de la quarantaine, il lui fallait bien prendre des risques pour rattraper le temps perdu avec Sébastien et Hubert. C'était une profonde injustice de ne pas avoir pu accéder à la classe des privilégiés. Sans relation, sans diplôme d'une grande école, sans homme protecteur, il ne lui restait que son corps pour monter dans l'ascenseur social. Se voir condamnée à être mère au foyer ou escorte la révoltait. Son courage et son mérite ne se voyaient pas, ne comptaient pas. Dans ces moments de découragement, elle perdait confiance. Revenait en elle insidieusement l'inquiétude d'être incapable de réussir, de n'être rien sans Hubert.

Elle s'assit sur le canapé, le temps de laisser des images de réussite revenir l'habiter. Évoluer au milieu d'un cocktail, des bracelets en or au poignet, le regard des hommes posé sur elle, le Nouvel An à Saint-Barth, rouler en Bugatti, femme d'affaires dans un jet privé, écolo-chic à Deauville, danser sur le pont d'un yacht une coupe de champagne à la main. Elle explorait avec frénésie son devenir auréolé de tous ces signes de reconnaissance sociale, quand son portable sonna à nouveau.

Sébastien l'appelait. Sébastien ! ça, elle ne l'aurait jamais cru. Après Antoine, c'était le jour des hommes qu'elle n'attendait plus. Elle n'eut pas le temps de lui reprocher son départ de ce matin. Sa voix tremblait : « Regarde tout de suite le type de l'ONG sur BFM et rappelle-moi. »

Derrière la barbe et les lunettes, elle ne fut pas longue à reconnaître Hubert à sa voix et à sa gestuelle. Elle rappela Sébastien. Ils arrivaient à la même constatation, c'était bien lui. Il n'était donc pas mort. L'idée de le rencontrer la terrorisait. Que fallait-il faire ? En parler à la police ? Non, Sébastien lui demanda de s'abstenir de toute initiative. Ne pas bouger en présence d'un serpent pour avoir une chance de lui échapper car il détecte ses proies à leurs mouvements. Un ami venait justement de lui faire connaître ce commandement de survie.

Les conseils de Sébastien lui rappelèrent ceux de son père : « Si tu te perds, reste où tu es. On viendra te chercher ». Une petite fille perdue c'est ce qu'elle était depuis l'intrusion d'Hubert dans sa vie. Après avoir raccroché, elle ressentit le besoin de se confier à Virginie.

Sans nouvelle d'elle depuis plusieurs jours, Virginie fut soulagée de l'avoir au téléphone. Elle semblait être au courant de l'existence d'Hubert et de sa présence aux Philippines à la tête d'une ONG ce qui étonna Martine. Elle jugeait inconsidéré et d'une grande imprudence d'oser passer à la télévision, même sous un travestissement. Elle partageait entièrement l'avis de Sébastien, il ne fallait surtout pas le dénoncer. Un retour en France leur ferait courir le risque de le voir revenir auprès d'elles. On sait ce qu'il en est avec la justice, il serait peut-être laissé en liberté avant son jugement et pourrait ensuite bénéficier d'un aménagement de peine. L'idée que Martine le reverrait et pourrait retomber en sa possession lui était insupportable.

Virginie revit les moments qui s'étaient écoulés avant le départ d'Hubert, la force et l'audace qui s'étaient emparées d'elle pour le dénoncer à l'aide de la clé USB de Martine. À ses yeux, il était mort mais elle devait se rendre compte, un peu plus tard, que ce mort bougeait encore par l'entremise de son avocat et ami Antoine Gilles qui avait demandé à Virginie de lui envoyer de l'argent sous le prétexte de couvrir des frais pour rechercher Hubert. Cet argent était en réalité destiné à ce dernier pour le lancement de son ONG. Antoine n'avait pas voulu révéler l'existence d'Hubert, mais à travers ses propos elle avait compris à demi-mot qu'il s'agissait de favoriser son implantation aux Philippines. Pour lui permettre d'entamer une nouvelle vie éloignée de la sienne, elle avait fini par accepter. C'est ainsi qu'après avoir causé sa chute, elle devenait, malgré elle, sa complice.

Virginie mit en garde Martine à propos de Me Gilles. Elle savait qu'il était en relation avec Hubert… « Martine, tu demandes trop à la vie, tu vas te perdre en route avec Antoine Gilles, il risque de t'amener là où tu ne veux pas aller. »

La peur s'empara de Martine à l'idée que sa vie pourrait à nouveau être téléguidée par Hubert. Elle se rappela qu'elle ne devait pas bouger en présence des serpents. Elle décida de rejoindre Virginie.

41

Prévenu par l'avocat Antoine Gilles de l'enquête qui allait être lancée contre lui, Hubert avait pu quitter la France avant tout signalement. Ajouté à cela que son envol en jet privé de l'aéroport de Cannes-Mandelieu dans un Falcon mis à sa disposition par son ami Chapelier de Ribes était demeuré secret profitant du régime favorable de l'aviation d'affaires en matière de contrôle. Un faux passeport et des recommandations avaient ensuite permis à Hubert, devenu Ludovic Ledoyen, de prendre des contacts auprès de personnalités influentes des services ministériels de Manille. L'absence d'accord judiciaire entre la France et les Philippines avait constitué un élément déterminant dans le choix de ce pays. Quand le Président de « Aidons les Philippines », ONG d'origine française, avait démissionné, Ludovic Ledoyen s'était proposé de le remplacer en promettant d'obtenir une augmentation significative des versements provenant des donateurs. Un tel engagement ne pouvait qu'entraîner l'adhésion des participants et le soutien des pouvoirs publics. Les typhons qui ravageaient les Philippines nécessitaient un financement accru pour secourir les populations à l'aide d'un matériel moderne. On faisait maintenant appel à des drones sur les terrains accidentés. Notre homme providentiel avait commencé par faire modifier la dénomination de l'ONG qui s'appellerait désormais « SOS For Life » pour lui donner une dimension internationale. Dans ce pays où le tourisme sexuel occupait une place prééminente, Ludovic Ledoyen était convaincu que la réussite de son entreprise ne pouvait passer que par le sexe. D'un côté existait toute une population qui avait besoin de se nourrir et de se vêtir sans autre monnaie d'échange que son corps et une sexualité débordante. De l'autre côté des Occidentaux bénéficiaient de tout le confort matériel mais n'arrivaient plus à trouver chez eux de quoi assouvir leurs pulsions dans un environnement trop policé et étriqué. À partir de ces constatations, Ludovic Ledoyen avait conçu le développement d'une ONG reposant sur le partage. Droit de manger et de se loger contre droit de baiser. Ces droits étant l'expression de véritables besoins, il estimait qu'une ONG devait y répondre. Ce projet se heurtait néanmoins aux législations moralisatrices qui, sous l'effet de la mondialisation, prétendaient régenter les rapports humains.

Pour échapper à toutes ces réglementations étroites, l'esprit fertile de Ludovic Ledoyen allait bâtir une ingénierie sophistiquée reposant sur une déconnexion entre les dons et le sexe. Les dons n'apparaissaient jamais comme rétribution de prestations sexuelles. Il s'était attaché, sans dévoiler son identité, les services d'un rabatteur de talent, Song Ly, qui démarchait les donateurs et invitait les déclassés à prendre contact avec une plate-forme internet chargée soi-disant de réinsertion. Le patronage d'une ONG constituait un alibi humanitaire dissimulant la véritable nature de ses activités.

Derrière son ordinateur, Ludovic assouvissait ainsi son envie de possession tout en gardant ses distances. Il prenait particulièrement plaisir à voir le désarroi des femmes qui attendaient sur le lieu du rendez-vous. Figées ou recroquevillées, elles regardaient avec angoisse vers la porte d'où devaient arriver leurs patrons. D'autres s'avançaient hardiment, résignées ou provocantes. Il s'était conservé la possibilité d'intervenir sur Skype pour pimenter les rencontres. Les participants pouvaient être des hommes mais il préférait les femmes, surtout les femelles rétives contraintes à la soumission. Ses séances lui rappelaient la Suisse et sa chambre à miroirs mais ici l'excitation qu'il ressentait derrière l'écran restait cérébrale. La jouissance incomparable et subtile de pénétrer et manipuler la pensée et le corps d'un être vivant faisait défaut. Pour un peu, il s'attendrissait sur lui-même et sur la perte qu'il subissait. Il devait se rendre à la raison,

Hubert Hamlet c'était hier, le luxe et la luxure c'était un autre temps. La plus élémentaire prudence lui commandait de s'abstenir de toutes rencontres. Il était, surtout dans sa situation, trop dangereux de sortir de l'anonymat. En outre, il ne supportait pas les mauvaises fréquentations. C'est la raison essentielle qui l'avait décidé à quitter la France pour échapper à la promiscuité de la prison. Il se consolait en éprouvant un sentiment de puissance par l'exercice d'un pouvoir sur la vie d'hommes et de femmes. Bien que la pédophilie soit en plein essor et plus lucrative, il avait écarté ce créneau trop surveillé par les polices françaises et américaines. Il avait consenti d'autant plus facilement à cet abandon que les enfants avaient le don de l'agacer.

Les premiers résultats se révélaient prometteurs. L'activité de l'ONG « SOS for life » progressait et les dons affluaient. Sa reconnaissance par les instances internationales et par les gouvernements allait grandissante. Ludovic venait d'ailleurs de recevoir un message de félicitations du secrétaire général de l'ONU.

Sébastien montait péniblement le chemin de la falaise de Saint-Come de Fresnay. Il avançait en traînant sa valise à roulettes. Quand il s'arrêtait pour reprendre son souffle, il s'arc-boutait pour résister au vent qui pouvait le faire tomber. Le chemin asphalté devenait caillouteux et se tortillait pour passer devant les mobiles homes et les baraquements. Entre deux bicoques apparaissaient quelques belles propriétés arborées, gazonnées à l'anglaise, entourées de grillages. Saint-Come de Fresney, petite station du Calvados, coupée en deux par la route nationale, dont une moitié était nichée en haut d'une falaise, entre Arromanches, l'incontournable du débarquement de Normandie, parcourue de touristes s'engouffrant dans son musée, tournant autour des tanks, canons et autres vestiges de la dernière guerre et Asnelles, la familiale, sa plage et ses pêcheurs. De la falaise, on l'apercevait en contrebas avec sa belle plage qui s'allongeait devant la mer. Le « bus vert du Calvados » avait pris son temps depuis la gare de Bayeux, aussi la nuit commençait déjà à tomber. Sébastien tourna longtemps dans les ruelles désertes avant de trouver la demeure qui devait l'accueillir. Elle se cachait au milieu d'un fouillis d'arbres et de tamaris. C'était une construction en bois, la dernière au bord de la falaise, de type chalet. Elle avait dû être coquette, mais exposée aux griffures du vent marin, la peinture s'effaçait, jusqu'à disparaître par endroits en découvrant des plaques blanchâtres. Désireux de s'abriter au plus vite de ce vent mauvais qui le pénétrait et faisait s'agiter les arbres à la folie, Sébastien fouilla fébrilement dans sa poche pour y chercher la clef que lui avait confiée Nakache. Il jeta un coup d'œil aux alentours avant d'entrer. Ciel noir, lumières éteintes, nulle présence rassurante autour de lui. Il n'aurait jamais imaginé ce village de bord de mer déserté alors que, selon le calendrier, le printemps venait d'arriver.

Heureusement qu'il avait pensé à prendre une lampe électrique pour trouver le compteur. Le plafonnier en forme de boule inonda d'une lumière crue l'unique pièce à vivre avec un coin cuisine et un grand lit. Il se demanda ce qu'il faisait là, seul et dérisoire dans ce froid humide, s'il n'allait pas regretter son appartement de Champigny. Une flambée dans la cheminée aurait été la bienvenue mais le petit bois faisait défaut pour allumer la grosse bûche qui attendait. Pas question de ressortir. Il se réchaufferait avec la bouteille de Morgon qu'il découvrit dans un placard. Sur l'étagère des biscottes et une boîte ronde décorée des armes de la Normandie qui contenait des tripes à la mode de Caen, voilà un repas qui tiendrait au corps. La télé ne devait pas aimer le vent car elle affichait avec persistance une image qui se fendillait pour finir découpée en morceaux de puzzle. Il garda son manteau pour dîner. Le sifflement du vent et le claquement des vagues accompagnaient son repas d'une sinistre orchestration.

La boule du plafond éteinte, il pouvait voir la clarté de la lune éclairer la pièce à travers la fenêtre en soupente. De cette fenêtre, à marée haute, la maison était comme en surplomb, au-dessus de la mer éclairée d'argent par les rayons de la lune. Le fracas des vagues qui attaquaient sans cesse la falaise faisait un vacarme infernal qui allait s'amplifiant.

Il s'assit sur le lit, enroulé dans une couverture. Il attendait. Il ne savait pas quoi… Quelque chose qui viendrait de la mer, une parole qui surgirait des vagues. La mer c'était la vie, toujours nouvelle. Il était venu pour la trouver cette vie renouvelée. Nakache, perspicace, avait compris son besoin de faire une parenthèse avant de prendre un nouveau départ. Il lui avait prêté sa maison de vacances. Mais la mer comme la vie était imprévisible. Cette nuit, elle se montrait oppressante et cruelle. La tempête faisait trembler la maison. Il se rappela avoir vu en arrivant un écriteau interdisant de se promener sur le bord de la falaise à cause des risques d'effondrements, or, le chalet était tout proche du bord et il entendait la mer qui continuait sans relâche son travail de sape… Les permis de construire devaient avoir été délivrés à la légère à l'époque. Il est même probable que, dans ce village, des petites constructions de bois avaient été faites sans permis. C'était inquiétant, ce village mort, les habitants devaient avoir déserté ces lieux devenus trop dangereux. Il ne dormirait pas. On ne dort pas au bord de l'enfer.

À un moment donné, il crut que l'aube était arrivée et qu'il allait revoir la lumière. Il se leva pour risquer un œil en soulevant la fenêtre en soupente. Non, ce n'était pas la lumière de l'aube mais la clarté trompeuse de la lune. Il reprit sa couverture pour se blottir en se demandant si le jour reviendrait, s'il accepterait encore de se lever.

Finalement, Martine s'était décidée à rejoindre Virginie à Rambouillet. En réalité, elle n'avait pas le choix. Sébastien lui avait fait part de son intention de retourner à Champigny s'il ne trouvait pas un autre point de chute, mais surtout, la peur de se retrouver en face d'Hubert la terrorisait. De l'avoir revu sur un écran, rendait imaginable son retour dans sa vie. Si cela devait arriver, elle ne se faisait pas confiance. Une part d'ombre demeurait en elle qui la rendrait encore capable de se soumettre à lui, de se faire baiser comme une esclave heureuse de retrouver son maître, de retomber dans la spirale infernale de la possession. Virginie constituait son antidote. Le monde des hommes lui paraissait désormais peuplé de complices d'Hubert, prédateurs avides de son corps.

Une histoire récente la renforçait dans cette conviction. Pour la sortir un peu de son isolement, Virginie avait organisé une sortie dans une boîte de nuit avec des amis. L'un d'eux qui s'appelait Richard ne quittait pas Martine du regard. Il l'invita à danser. Tout en dansant, il l'avait conduite à l'écart du groupe. Désinhibé par quelques verres du cocktail maison à base de gin, il chercha à l'embrasser. Elle se dégagea, trop stressée et fatiguée, avait-elle prétexté. Richard s'empressa auprès d'elle plein de sollicitude. Un réconfortant qu'il avait sur lui ne manquerait pas de lui donner un tonus insoupçonné. Pour l'encourager à suivre son exemple, il n'hésita pas, le sourire aux lèvres, à en avaler un. C'est vrai qu'il avait l'air inoffensif et plutôt attirant ce bonbon tout rose. Elle se laissa convaincre pour ne pas lui déplaire davantage et elle ouvrit sa main pour y recevoir le petit bonbon comme une hostie. À ce moment, elle entendit un NON retentissant. Martine s'immobilisa, le bonbon dans sa main. De derrière, les danseurs, Virginie surgissait. Sans prendre le temps d'une parole, elle tapa sur le bras de Martine pour faire tomber le bonbon, sous le regard furieux de Richard.

Richard n'allait pas tarder à être pris de convulsions et emmené d'urgence à l'hôpital. Il avoua avoir pris une pilule d'ecstasy. Ses effets laissaient même supposer qu'elle était frelatée.

Martine avait mis de côté ses ambitions en même temps que les hommes. Virginie, craignant de la voir un jour lui reprocher le temps qu'elle aurait perdu dans « l'accomplissement de sa carrière », avait tenu à l'assurer qu'elle resterait libre de ses choix de vie. Elle garderait sa chambre où elle mènerait sa vie en toute indépendance. La halte offerte à Rambouillet en sa compagnie constituait une parenthèse lui permettant de se préserver, le temps de se retrouver au plus profond d'elle-même.

« Deviens ce que tu es », lui avait-elle lancé. Cet aphorisme devait plonger Martine dans un abîme de perplexité.

Curieusement, le destin décidait d'ouvrir en même temps une parenthèse dans la vie de Martine comme dans celle de Sébastien.

Elle était agréable au demeurant pour Martine, cette parenthèse. Le matin, quand le fond de l'air n'était pas trop frais, elle prenait son petit déjeuner avec Virginie dans le parc, sous les frondaisons de la forêt. Virginie ne s'attardait pas, elle était absorbée par la mise au point d'un programme digital innovant au service des DRH, destiné à identifier les facteurs à l'origine des problèmes de stress et d'absentéisme rencontrés au sein des entreprises. La démarche reposait d'abord sur une batterie de tests destinés au personnel aboutissant à une synthèse. Une fois ce diagnostic établi, des solutions seraient présentées aux responsables pour remédier aux déséquilibres observés. Celles-ci consisteraient la plupart du temps dans la mise en place de formules d'accompagnement personnalisées. Elles nécessiteraient l'intervention d'un coach qui pourrait être Martine, en raison de son expérience professionnelle. Virginie travaillait d'arrache-pied, pressée d'aboutir pour donner des perspectives à Martine dans un travail commun. Elle croyait en la réussite de leur couple aidée par ce projet qui répondait à des préoccupations très actuelles chez les managers et les DRH. Après le dîner, toutes les deux s'installaient derrière les grandes baies vitrées du salon. Martine se laissait bercer de sonates dans les bras de son amie, le regard perdu dans les arbres du parc éclairés par des spots lumineux. « Tu sais, Michel Cymés, le médecin de la télé, a assuré que le câlin apportait un grand réconfort. » « Je le crois sans peine » souriait Martine, envahie de paresse et de bien-être, le visage balayé par les cheveux d'or de Virginie qui ne se lassait pas de suivre les courbes du corps long et souple de son amie, ses longs cheveux noirs, ses petits seins soulevés par une respiration régulière et sa bouche un peu trop grande mais si attirante.

Martine sentait l'intensité du regard posé sur elle. Abandonnant les arbres, ses yeux découvrirent la jolie courbe de l'épaule, la gorge ronde penchée sur elle. Elle ne pouvait demeurer éternellement insensible au désir de son amie. Un soir, relevant la tête, sa bouche hésitante rencontra celle de Virginie. C'est ainsi que Martine se laissa glisser peu à peu dans la bisexualité. Elle le fit avec un grand naturel sans trouble identitaire, sa nature ne la portait pas à se perdre dans les problématiques sur le genre, Virginie seule l'attirait et pas les autres femmes. Elle s'interrogeait tout de même sur la nature du sentiment qui l'unissait à Virginie. Ce n'était peut-être pas de l'amour mais ça lui ressemblait. L'admiration pour cette femme et un besoin de protection étaient à l'origine de son attachement.

Après les câlins, Virginie, passionnée et sensuelle jusqu'au bout des doigts, lui fit découvrir une volupté nouvelle, insoupçonnée. L'image de leurs corps enlacés en une gerbe blonde et brune se reflétait dans les vitres du salon. La nuit les trouvait ainsi dans l'assouvissement de leurs désirs, gagnées par une bienheureuse fatigue, incapables de se séparer.

L'image d'Hubert s'estompait jusqu'à devenir floue, comme s'il s'éloignait de Martine. C'était peut-être ainsi que la vie lui apportait cet exorcisme qu'elle avait attendu.

Dans un de ces moments de grande quiétude, Virginie lui annonça avec le plus grand calme qu'Hubert serait mort. À Manille, les médias relataient que Ludovic Ledoyen Président de l'ONG « SOS for life » avait été assassiné à coups de couteau par un homme au cri de « Allah Akbar ». Pour le moment, personne ne semblait avoir fait la relation avec le Directeur Général Hubert Hamlet, coupable de malversations financières, précisait Virginie sur le même ton égal.

Martine resta muette et Virginie n'ajouta rien. Leurs pauvres mots n'auraient pu rendre compte du trouble et des questionnements qui se bousculaient dans leurs têtes.

Deux jours plus tard, Martine téléphona à ses parents et bavarda avec Benjamin et Romane. Elle allait mieux et irait les chercher pour passer les prochaines vacances scolaires avec eux. « Vous verrez c'est super, une maison dans la forêt habitée par deux fées ».

Sébastien avait fini par s'endormir. Quand il se réveilla, le silence le surprit. Il n'entendait plus le vent rugir, ni les vagues déferler, seulement le cri aigu d'un goéland. En risquant un œil par la fenêtre de la soupente, il aperçut le gros oiseau sur le toit, dans un ciel sans nuage. Le bonheur d'habiter le ciel est venu le surprendre. Un ciel nouveau mais une mer perdue. Elle était partie, il ne la voyait plus. Pas question de la voir se retirer avec cette désinvolture après la nuit qu'elle lui avait fait subir. Il se leva dans le matin frissonnant pour partir à sa recherche.

Auparavant, il devait se préoccuper de la nourriture car les placards de la maison Nakache étaient vides. Encore abattu par sa mauvaise nuit il descendit sur Asnelles, la petite localité voisine où il trouva autour de la place principale, une boucherie, une boulangerie et un magasin qui s'appelait « Toutéla » le bien nommé où l'on trouvait un peu de tout, depuis les articles de souvenirs jusqu'à l'épicerie. Il se contenta de quelques provisions indispensables pour ne pas alourdir son sac et se dirigea vers la digue par la route du Débarquement. Un tracteur à grandes roues remorquait un bateau avec cabine en pétaradant. Le bateau passa devant lui tel un vaisseau amiral revenant de courses lointaines avec des hommes droits et fiers à son bord. Il comprit par la suite qu'à Asnelles il y avait des pêcheurs et des bateaux de pêche mais pas de port ce qui expliquait ces remorquages pour mettre les bateaux dans l'eau et les ramener.

Il marchait maintenant sur la plage. À sa grande déception, la vue sur la mer était masquée par les restes du port artificiel qui avait permis le débarquement du matériel sur les côtes normandes pendant la dernière guerre. Ces imposants blocs de béton enserraient cette partie de la mer défigurée et captive. Sébastien s'en détourna et bifurqua sur sa droite en direction de Ver-sur-Mer. Après s'être déchaussé pour passer les flaques et rigoles qui traversaient la plage, il marchait les sandales à la main. Au bout d'un moment, il se rendit compte qu'il venait de quitter la plage d'Asnelles. Du côté terre, c'était maintenant un paysage sauvage de dunes et de marécages. Un cri aigu lui fit lever la tête. Son goéland planait en larges cercles au-dessus de lui avant de voler vers la mer. Sébastien pensa que c'était le moment de se tourner vers le grand large. Devant lui, la mer en se retirant avait dévoilé à perte de vue un espace qui n'appartenait ni à la terre ni à la mer.

Sébastien marchait la tête dans le ciel couvert de nuages blancs qui couraient dans le vent. Ses pieds découvraient les différentes textures de l'estran. Ils s'enfonçaient dans le sable près de la côte. Plus loin, ils foulaient un sol lisse et souple où s'imprimait la trace de ses pas. Sébastien fit le rapprochement avec ces êtres que les prédateurs marquent de leurs empreintes. En approchant de l'eau, les bosses d'un sol dur et humide faisaient mal et ralentissaient la marche.

La fraîcheur des vaguelettes sur ses pieds lui apprit qu'il était arrivé. Il faisait face à la mer. Capricieuse et changeante, ses déferlantes sauvages s'étaient transformées en flots apaisés. En ce moment de l'étale, calme et immobile, elle avait pris sa couleur nacrée qui lui allait si bien. Dans le lointain, elle se fondait avec le ciel en une image d'éternité. Pour Sébastien tout se confondait, l'avant et l'après, le temps et l'espace. Usés par l'attente angoissante de la nuit, ses sens aiguisés laissaient pénétrer jusqu'à l'ivresse le souffle du large. La tempête avait fracassé toutes les portes de ses prisons. Arraché à sa déréliction, il se trouvait projeté par une lame de fond dans une nouvelle vie où il se sentait indestructible.

L'oiseau blanc était revenu. Sa présence lui fit penser à Nakache et Igor sans qui rien ne serait arrivé. Il regardait sans se lasser son compagnon du ciel jouer avec le vent, se griser de la perfection de son vol. Il devenait cet oiseau jusqu'à sentir sous ses ailes le vent qui le portait.

Sébastien avait tout oublié jusqu'à sa propre existence. Bienheureuse amnésie qui faisait disparaître Hubert. En cet instant, Sébastien retrouva pour la première fois depuis l'enfance la saveur de l'éternité.

Imprimé en Allemagne
Achevé d'imprimer en juin 2023
Dépôt légal : juin 2023

Pour

Le Lys Bleu Éditions
40, rue du Louvre
75001 Paris

Milton Keynes UK
Ingram Content Group UK Ltd.
UKHW051002300723
425958UK00022B/582